Marie Ferrarella

Cita para tres

Editado por HARLEQUIN IBÉRICA, S.A.
Núñez de Balboa, 56
28001 Madrid

Cita para tres, n.º 2027 - 1.10.14
Título original: Dating for Two
Publicada originalmente por Harlequin Enterprises, Ltd.

I.S.B.N.: 978-84-687-4764-4
Depósito legal: M-20046-2014
Editor responsable: Luis Pugni
Impresión en CPI (Barcelona)
Fecha impresión Argentina: 30.3.15
Distribuidor exclusivo para España: LOGISTA
Distribuidor para México: CODIPLYRSA
Distribuidores para Argentina: interior, BERTRAN, S.A.C. Vélez Sársfield 1950 Cap. Fed./ Buenos Aires y Gran Buenos Aires, VACCARO SÁNCHEZ y Cía, S.A.

Prólogo

ERA la tercera vez en apenas media hora que Maizie Sommers sorprendía a su clienta con la mirada perdida. Varias semanas atrás, Eleanor O'Brien había acudido a la agencia inmobiliaria de la que era dueña Maizie. Aquella mujer de mediana edad y rostro dulce quería readaptar su tren de vida cambiando su casa de dos plantas y treinta y un años de antigüedad por un piso más pequeño y eficiente. Maizie le había brindado su experiencia, enseñándole cómo presentar su casa para sacarle el mayor partido. Aquel curso acelerado había dado resultados, de eso no había duda: ya había varios compradores, no solo interesados en la casa, sino dispuestos a hacer una oferta por ella.

Eleanor había decidido posponer la decisión hasta que encontrara un piso que le gustara.

Pero hoy, al parecer, tenía la cabeza en otra parte.

Maizie la había llevado a tres pisos distintos y tenía la sensación de que, aunque su clienta estuviera allí físicamente, su mente estaba a cientos de kilómetros de distancia.

Al principio había ignorado educadamente la preocupación de Eleanor. Pero no tenía sentido mostrarle aquellas casas si en realidad no las estaba viendo.

—Si no te importa que te lo diga, pareces muy distraída —le dijo Maizie a aquella mujer menuda y de cabello rubio—. ¿Sabes? —añadió diplomáticamente—, no hace falta que veamos los pisos ahora mismo.

No estaba fingiendo preocuparse por el estado anímico de su clienta: estaba sinceramente preocupada. Le había tomado cariño a Eleanor aquellas últimas semanas y se preciaba de ser, en primer lugar, una persona que se preocupaba por los demás y, en segundo lugar, una agente inmobiliaria, y con mucho éxito.

O en tercer lugar, si se contaba la vocación por la que sentía verdadero fervor: la de casamentera.

Aunque se ganaba la vida con la inmobiliaria, lo que de verdad la apasionaba era dedicarse a casar a los demás, algo que hacía conjuntamente con sus dos mejores amigas, Cecilia y Theresa, ambas prósperas empresarias en sus respectivos terrenos. Amigas desde el colegio, disfrutaban haciendo felices a los demás al unirles con sus almas gemelas. Y, de momento, tenían un historial espectacular.

—Si algo he aprendido desde que vendo casas —continuó al ver que su clienta la miraba inquisitivamente— es que, si pierdes una, por perfecta que parezca ser, pronto aparece otra, a veces cuando menos te lo esperas.

Eleanor O'Brien se rio suavemente.

—Parece un eslogan para una agencia matrimonial, no para una inmobiliaria.

A Maizie le pareció interesante que su clienta pensara de inmediato en las relaciones de pareja. ¿Era eso lo que le preocupaba? ¿Tenía algo que ver con los hombres? Su radar se puso de inmediato en marcha.

Pasó el brazo por el de Eleanor y la condujo sutilmente hacia la puerta del piso.

—¿Por qué no hacemos un descanso y vamos a tomar un café, o un té si lo prefieres, y me cuentas qué es lo que te pasa de verdad?

Eleanor pareció dudar por un momento entre darle las gracias asegurándole que estaba perfectamente y tomarle la palabra. Al final, venció su necesidad de hablar con alguien.

—Bueno, si estás segura de que no tienes otra cosa que hacer...

Maizie le dedicó lo que una de sus amigas había llamado su «sonrisa desarmante».

—Claro que no —le aseguró.

—Entonces sí —dijo Eleanor cuando llegaron a la puerta—, creo que me gustaría.

Maizie sonrió.

—Conozco el sitio ideal.

Diez minutos después estaban sentadas a una mesa para dos en un restaurante familiar, cerca de la oficina de Maizie. Eleanor se inclinó y le preguntó:

—¿Tienes hijos, Maizie?

Maizie sintió una oleada repentina de orgullo maternal, como le pasaba siempre que pensaba en Nikki, su única hija.

—Pues sí —contestó—. Tengo una hija.

—¿Está casada? —preguntó Eleanor mirándola a los ojos.

Maizie sonrió. Le gustaba pensar que su hija había sido el primer gran éxito de su carrera como casamentera. Porque Nikki había estado tan centrada en su profesión, era pediatra, que no había tenido vida privada hasta que, en un golpe de inspiración, su madre había enviado a su consulta a un cliente suyo, un viudo con un hijo pequeño.

El resto era historia, y había sido el principio de su labor como casamentera, extremadamente gratificante para Maizie, que la consideraba su «verdadera vocación».

—Pues sí —contestó a Eleanor—, lo está.

Eleanor suspiró melancólicamente.

—No sabes la suerte que tienes. Yo tengo una hija, Erin, y creo que no va a casarse nunca.

—¿Por elección propia? —preguntó mientras observaba a su clienta.

—Por desgaste —contestó Eleanor con tristeza, y luego intentó desdecirse—. Supongo que estoy siendo egoísta. Debería dar gracias por tenerla todavía conmigo —al ver la mirada interrogativa de Maizie, explicó rápidamente—: Erin tuvo cáncer a los siete años —cerró los ojos, reviviendo aquella época terrible—. Estuvimos a punto de perderla varias veces. Vivió casi dos años en un hospital infantil maravilloso y muy innovador que hay en Memphis. Durante esa época casi me quedé sin rodillas de tanto rezar. Y luego, un buen día, como por milagro, el cáncer desapareció sin dejar rastro y pude recuperar a mi niñita. No puedo describirte la alegría que sentimos su padre y yo —sus ojos brillaron llorosos—. Por eso me siento tan culpable por querer algo más.

—¿Pero...? —insistió Maizie, intuyendo que necesitaba un empujoncito para continuar.

Eleanor inclinó la cabeza.

—Pero me encantaría verla casada y con hijos.

—¿No tiene novio estable? —preguntó Maizie, solo para asegurarse de que ese era el problema.

—No tiene ningún novio —respondió Eleanor con un sentido suspiro—. Está demasiado ocupada —apretó los labios—. Hasta el trabajo que ha elegido es altruista, y sé que debería sentirme feliz por que le vayan tan bien las cosas...

Maizie, que se había encontrado en la misma situación una vez, se sintió con derecho a interrumpir a su cliente:

—No tienes por qué sentirte culpable. Es natural que quieras que tu hija tenga a alguien especial a su lado, alguien en quien pueda apoyarse —inspirada, su mente comenzó a dispararse en varias direcciones distintas a la vez—. ¿A qué se dedica?

—Tiene una empresa de juguetes llamada Imagina —contestó Eleanor con no poco orgullo—. Vende los juguetes que teníamos tú y yo de pequeñas, de esos que necesitan imaginación en vez de pilas para cobrar vida. Dos veces al año lleva un camión cargado de juguetes al hospital infantil de aquí. Dice que es una forma de «devolución».

Maizie asintió con la cabeza, impresionada.

—Parece una persona maravillosa.

—Lo es —contestó Eleanor con vehemencia—. Y estoy deseando que conozca la alegría de tener a un hijo en brazos. Pero supongo que soy una egoísta...

—En absoluto. A mí me pasó exactamente lo mismo.

Eleanor la miró con sorpresa.

—¿Sí?

—Totalmente —contestó Maizie.

—¿E hiciste algo al respecto? —preguntó Eleanor, bajando la voz como si estuvieran conspirando. Saltaba a la vista que buscaba consejo o, al menos, ánimos.

Maizie sonrió por encima de su taza de café.

—Tiene gracia que me lo preguntes —comenzó, y vio un brillo esperanzado en los ojos castaños de su interlocutora. Hizo una seña a la camarera y, cuando la joven se acercó, le dijo—: Vamos a necesitar dos cartas, por favor —aquello iba a llevarles algún tiempo, pensó. Luego, volviéndose hacia Eleanor, fue directa al grano—: Voy a contarte una historia.

Capítulo 1

AQUÍ tienes —dijo Steven Kendall al darle a Cecilia Parnell el cheque mensual que acababa de extenderle—. Ha valido la pena, hasta el último penique —reconoció—. El trabajo que ha hecho tu servicio de limpieza pasaría incluso una inspección de mi madre, y te aseguro que siempre ha sido muy exigente.

El tiempo y la distancia le permitían contemplar aquella parte de su vida con cariño, aunque en su momento, cuando era un adolescente, la convivencia con su madre le había resultado extremadamente difícil.

Cecilia sonrió al joven abogado experto en litigación empresarial. Era cliente suyo desde hacía poco más de un año y siempre lo había visto de buen humor. Era literalmente un placer hacer negocios con aquel hombre, sobre todo porque Cecilia tenía una norma que no se saltaba nunca: quería que le pagaran siempre en persona.

Cecilia se rio suavemente.

—Ojalá todos mis clientes fueran tan limpios y ordenados como tu hijo y tú —le dijo—. Y no creas que no te agradezco que no te importe que nos veamos en persona para el pago —guardó el cheque en uno de los muchos compartimentos de su enorme bolso—. Sé que la gente joven prefiere hacerlo por Internet, pero la verdad es que a mí me gusta ese toque personal —le lanzó una sonrisa coqueta—. Imagino que te parece terriblemente anticuado.

—Si te digo la verdad, Cecilia, ojalá hubiera más cosas anticuadas hoy en día.

Algo en su tono captó la atención de Cecilia.

—¿Ah, sí? —le dedicó su sonrisa más maternal y volvió a dejar su bolso sobre la mesa—. Eres mi última visita del día, lo que significa que después estoy libre, así que, si necesitas alguien con quien hablar, puedo quedarme un rato.

Su sonrisa maternal incluyó también a Jason, el hijo de siete años de Steve. El niño le lanzó una mirada de reojo antes de volver a concentrarse en la pantalla del televisor del cuarto de estar, donde se pasaba horas matando marcianos cuando estaba en casa.

—No todos los días me encuentro en compañía de dos jóvenes tan guapos —añadió.

Jason les prestó atención un momento, lo cual sucedía rara vez últimamente, pensó Steve.

—¿La señora Parnell se refiere a nosotros, papá? —preguntó.

Steve sintió un cosquilleo de esperanza. Tal vez Jason estuviera empezando a recuperarse. Cruzó mentalmente los dedos mientras el pequeño volvía a concentrarse en salvar a la humanidad del peligro alienígena.

—Bueno, por lo menos a ti sí —le dijo a su hijo. Pero dudó de que Jason le oyera.

—Vamos, no seas tan modesto, Steven —le dijo Cecilia. A su edad, sus palabras podían considerarse halagüeñas más que coquetas, lo que le permitía la libertad de no tener que morderse la lengua—. Eres un joven muy guapo, lo que me lleva a preguntarme por qué estás aquí, hablando conmigo, en lugar de estar por ahí. Es viernes por la noche y, a no ser que me falle la memoria, es el momento en que los hombres solteros de tu edad suelen salir con alguna amiga —miró a Jason—. Si necesitas una canguro, ya te he dicho que estoy libre —añadió, consciente de que la señora que cuidaba a Jason hasta que Steven llegaba a casa acababa de irse.

—No, gracias. No necesito una canguro y tu memoria funciona perfectamente, Cecilia —sabía que Cecilia conocía su situación, pero en lugar de sentirse invadido en su intimidad, le conmovió que se preocupara por él—. He decidido dejar todo eso durante un tiempo.

Cecilia frunció el ceño ligeramente. Se había tomado un interés personal por el joven viudo y su hijo. No podía evitarlo: Steven parecía necesitar un toque maternal, dado que su madre vivía muy lejos de allí, en otro estado.

—Corrígeme si me equivoco, Steven, pero ¿no volviste a salir con mujeres hace solo un par de meses?

A pesar de su pregunta, sabía perfectamente cuál era la respuesta. Después de dos años sin hacer otra cosa que trabajar y pasar tiempo con su hijo en un esfuerzo por aliviar el agudo dolor que sentía por la muerte de su esposa, Julia, víctima de un cáncer de útero, el abogado había cedido a la insistencia de sus amigos y había vuelto a salir con mujeres otra vez.

¿Qué había pasado?, se preguntó. ¿Y cómo podía ayudarlo ella?

—Técnicamente no te equivocas —contestó Steve. Entró en la cocina y abrió la nevera. Sacó una botella de zumo de naranja y se sirvió un vaso pequeño—. Volví a salir, aunque fue más bien hace cuatro meses. En todo caso, he decidido dejarlo.

De las tres amigas, Cecilia siempre había sido la más diplomática. Pero estar con Maizie y Theresa la había llevado a ser un poco más agresiva en sus relaciones con los demás, y un poco más osada cuando se trataba de expresar sus opiniones.

—Si no te importa que te lo pregunte, ¿cuál es la razón? Estás en la flor de la vida y bien sabe Dios que un hombre bueno y formal como tú sería la respuesta a las plegarias de más de una mujer —cuando la miró con sorpresa, añadió rápidamente—. Tengo un par de buenas amigas que siempre se quejan de que sus hijas son incapaces de encontrar al hombre adecuado.

Aunque cierta, su explicación estaba un poco desfasada. Hasta hacía varios años, Maizie, Theresa y ella se reunían al menos una vez a la semana para jugar una partida de cartas y hablar del problema de sus hijas, cuya soltería las angustiaba. Había sido en una de sus sesiones cuando Maizie había decidido que tenían que hacer algo más que hablar y lamentarse. Tenían que tomar la iniciativa y resolver el problema.

Como las tres tenían negocios que les permitían relacionarse con un amplio abanico de personas, habían decidido aprovechar la ocasión para encontrarles marido a sus hijas, y les habían tendido una trampa sin que ninguna de las partes involucradas se diera cuenta de ello.

Habían conseguido tan buenos resultados que habían seguido dedicándose a sus labores de casamenteras incluso después de que se casaran todas sus hijas. Ahora, cada vez que ella o sus amigas se topaban con una persona soltera y sin compromiso, los engranajes de sus cabezas comenzaban a girar de inmediato. Como estaba sucediendo en ese momento.

Al salir de la cocina, Steve recordó dónde estaba y bajó la voz. No quería que Jason lo oyera. En cuanto comenzó a hablar, Cecilia entendió el porqué.

—Ya no estoy hecho para estas cosas —le confesó Steve.

Era un hombre guapo, inteligente y sensible. Si alguien tenía esperanzas de encontrar a su media naranja, era Steve.

—Pero ¿por qué? —preguntó, comprensiva.

—Todas las mujeres con las que he salido estos últimos meses eran muy atractivas. Y no solo eso: en su mayoría también eran inteligentes y divertidas y tenían profesiones interesantes.

—¿Pero? —preguntó Cecilia.

Steve esbozó una sonrisa cansina.

—Pero en cuanto se enteraban de que tenía un hijo, su reacción era una de tres: algunas se indignaban tanto porque tuviera un hijo que ponían fin a la cita afirmando que no teníamos ningún futuro juntos; para otras, tener hijos equivalía a cadenas y esclavitud, y dejaban bien claro que no les interesaba en absoluto; y las que estaban más abiertas a la idea de ser madres parecían creer que tener un hijo era como tener una mascota muy mona. Y no es así como yo veo a Jason —añadió con fervor.

Suspiró y agregó:

—Ni una sola de esas mujeres tenía lo que yo llamo madera de madre, ni por asomo. Imagino que, cuando volví a salir con mujeres, mi situación era bastante excepcional —antes de que Cecilia pudiera preguntarle qué quería decir, añadió—: No quiero salir con mujeres por salir. La verdad es que salgo por dos. Cualquier mujer con la que salga tiene que estar dispuesta a tener también en cuenta a Jason, no solo a mí. Él forma parte de mi vida. Una parte muy importante de mi vida —miró al chico, que seguía enfrascado en el videojuego—. Y como ninguna de esas mujeres parecía dispuesta a verlo así, he decidido tomarme un descanso indefinido y no volver a salir de momento —después, una sonrisa iluminó sus ojos y añadió—: A menos, claro, que tú quieras salir conmigo. Dime, Cecilia, ¿qué vas a hacer el resto de tu vida?

Ella se rio y sacudió la cabeza.

—Hacerme aún más vieja, cielo —respondió dándole unas palmaditas en la mejilla—. Pero te agradezco el cumplido —se quedó callada un momento, pensando.

Miró a Jason, que estaba tendido boca abajo, ajeno a todo lo que lo rodeaba y concentrado por completo en el monitor. Sus pulgares volaban sobre el mando que sostenía entre las manos.

Cuando Steve había abierto la nevera, Cecilia había podido echarle un vistazo. No había sido una imagen muy alentadora, lo que la animó a preguntar:

—¿Cuándo fue la última vez que tomasteis una comida casera?

—Depende —contestó Steve.

Qué respuesta tan extraña, pensó Cecilia.

—¿De qué?

Steve sonrió. Habría sido el primero en admitir que cocinar no era una de sus aficiones preferidas, a menos que quemar la comida pudiera considerarse una afición.

—De a qué llames tú una «comida casera». Si te refieres a comida congelada y calentada en el microondas de casa, la respuesta es ayer. Si te refieres a algo salido del horno que no proceda de un paquete de la sección de congelados del supermercado, entonces tendría que remontarme a la última vez que mi madre vino de visita, hace tres meses.

Cecilia asintió.

—Eso me parecía. Déjame ver qué se me ocurre —le dijo. Se subió las mangas de la blusa y abrió la nevera.

Steve tenía hambre, claro, pero sobre todo no quería arruinar la relación que tenía con aquella mujer. Le gustaba hablar con ella.

—No puedo permitir que hagas eso —protestó, poniéndose delante de ella e intentando cerrar la nevera.

Cecilia lo apartó alegremente.

—Considéralo una bonificación por ser tan buen cliente.

A Maizie, pensó Cecilia mientras se ponía manos a la obra, iba a encantarle aquel chico.

—¿Cómo dices que se llama? —preguntó Maizie esa noche, cuando se reunieron las tres.

Fue una reunión improvisada.

Cecilia había llamado a sus amigas en cuanto se había subido al coche. Acababa de dejar a Steve devorando el guiso que había preparado con lo poco que había encontrado en su nevera y su despensa. Incluso Jason había dicho algo positivo después de que lo convencieran de que dejara el videojuego y se sentara a comer a la mesa.

En ese momento se había sentido especialmente entusiasmada con el plan que empezaba a formarse en su cabeza. Solamente necesitaba la ayuda de «las chicas».

Una hora después se habían reunido en casa de Maizie, que ahora estaba sentada delante de su ordenador portátil, lista para recopilar toda la información que encontrara sobre aquel posible candidato al que Cecilia parecía tan empeñada en buscarle pareja.

—Se llama Steven Kendall —le dijo su amiga, y deletreó el nombre con cuidado.

—¿Crees que tendrá página en Facebook? —preguntó Maizie.

—No sé —contestó Cecilia—. Parece bastante sociable, pero es una persona muy discreta.

—¿A qué se dedica? —preguntó Theresa.

—Es abogado, especializado en litigios empresariales y... —Cecilia no fue más allá.

—¿Abogado? —repitió Maizie, triunfante—. Eso significa que posiblemente tendrá una foto y un perfil en la página de Internet de su bufete.

No perdió ni un instante: tecleó rápidamente el nombre en un buscador y se recostó en su silla cuando apareció en la pantalla una breve biografía de Steven

Kendall, acompañada de una fotografía. Saltaba a la vista que estaba impresionada.

Silbó por lo bajo y dijo:

—No está mal, Cecilia. No está nada mal.

Theresa se inclinó por encima de su hombro con curiosidad para echarle un vistazo.

—¿Que no está mal? Si yo tuviera diez años menos, yo misma le daría un tiento —levantó la vista y, al ver la mirada escéptica de sus amigas, añadió—: Bueno, veinte.

—Eso está mejor —Maizie se rio—. Además, ya tengo alguien para él.

Les habló rápidamente de Erin O'Brien a sus amigas y, al acabar, volvió a mirar la foto de Steven Kendall con una sonrisa amplia e ilusionada.

—En mi opinión, esta parece una unión pensada en el cielo. Ella es una fabricante de juguetes a la que le encantan los niños y él un viudo con un hijo al que, por definición, le pirran los juguetes. No podría ser mejor.

Sus amigas estuvieron de acuerdo.

—Pero ¿cómo sugieres que les unamos sin que se den cuenta de que es una trampa? —preguntó Theresa, siempre tan práctica.

Maizie se mordisqueó el labio unos segundos mientras pensaba.

—Lo difícil lo hacemos enseguida. Lo imposible cuesta un poco más —respondió, recitando un viejo mantra.

—O sea, que nadie se va de aquí hasta que tengamos un plan —dijo Theresa con un suspiro, preparándose para una larga noche.

Maizie dio unas palmaditas en la mano a su amiga al ponerse en pie.

—Qué bien me conoces. Voy a preparar café —dijo antes de entrar en la cocina.

Erin O'Brien colgó el teléfono, un poco asombrada todavía por el hecho de que Felicity Robinson hubiera conseguido su nombre y su número de teléfono. Claro que, con los tiempos que corrían, todo era posible para alguien con destrezas informáticas y suficiente determinación. Y si algo había sacado en claro de aquella conversación era que la subdirectora del colegio James Bedford parecía tremendamente decidida.

—¿Sabes qué? —le dijo Erin al tiranosaurio de simpático aspecto que había sobre su mesa, uno de los varios que poseía. Era el primer juguete que había fabricado, y el original, ya un poco desgastado por el uso, estaba guardado en una caja fuerte—. Vamos a volver a la escuela. Por lo visto, alguien quiere que hable delante de una clase de niños de siete años sobre cómo empecé a hacer juguetes.

Ladeó la cabeza y, dentro de su cabeza, la vocecilla del tiranosaurio comenzó a inventar excusas para no ir. El tiranosaurio encarnaba sus inseguridades. Siempre había sido así. Había sido su modo de enfrentarse a ellas de pequeña.

—Vamos, no pongas esa cara —le dijo—. Será divertido, ya lo verás —prometió, sirviéndose casi de las mismas palabras que había dicho la subdirectora.

—Sí, para ti —se lamentó una voz aguda—. Porque dirás todo lo que quieras a través de mí.

Erin se inclinó sobre su mesa y acercó a ella el peluche, al que llamaba cariñosamente «Tex». La imaginación, la imaginación positiva, había sido su asidero, su forma de enfrentarse a las cosas que le habían pasado de niña, cuando su vida consistía en una serie de máquinas que hacían ruiditos constantes mientras medían sus constantes vitales a través de los innumerable tubos sujetos a su cuerpecillo enfermo.

Incluso entonces, a pesar de su timidez, había demostrado una especie de alegría interior. Había hecho todo lo posible por mostrarse valiente para que su madre no llorara, pero, aun así, estaba convencida de que, si no hubiera inventado a Tex, su alter ego, habría sucumbido a la enfermedad en vez de triunfar sobre ella.

Tex había empezado siendo un dibujo y había sido solo un producto de su imaginación hasta que le había dado vida sirviéndose de un viejo calcetín verde que le había llevado su madre. De alguna manera se las había ingeniado para seguir con ella, en espíritu y en dibujos, mientras estuvo en el colegio.

Algún tiempo después, decidió darle una forma mejor. Su madre fue a una tienda de artesanía y compró fieltro verde. Armada con aguja, hilo y un rotulador, dio vida al dinosaurio una tarde de otoño. Desde aquel día, Tex se había quedado con ella, de una manera o de otra.

Un comentario oído por casualidad en una guardería la había impulsado a crear una amiga para Tex: Anita. Anita tampoco era mecánica. Y al igual que a Tex, su imaginación la había dotado de alma.

Y así, de repente, nació Imagina.

—Vamos a tener que hablarles de ti a un montón de niños de segundo curso —le dijo Erin a su peluche con orgullo.

—No olvides contarles que no serías nada sin mí —le recordó Tex con aquella misma voz aguda.

—No lo olvidaré —prometió, muy seria.

Se entregaba a aquel pequeño juego cuando no estaban cerca sus colaboradores, para que no pensaran que se estaba volviendo loca si por casualidad la oían. La ayudaba a desfogarse cuando las cosas se ponían tensas.

—Lo hemos conseguido, Tex. Lo hemos logrado a lo grande. O a lo chiquito si quieres —añadió con una sonrisa.

Por una vez, Tex no dijo nada, pero Erin comprendió que estaba pensando lo mismo que ella: que lo habían logrado en más de un sentido.

Capítulo 2

STEVE colgó el teléfono de la cocina y miró a su hijo. Jason estaba, como de costumbre, en el cuarto de estar, pegado a la pantalla del televisor.

—¿Has tenido algo que ver con esto, Jason? —preguntó.

—¿Con qué, papá? —respondió su hijo después de que le repitiera tres veces la pregunta.

Se había convertido en un hábito que Jason solo prestara atención a medias a cualquier cosa que sucediera fuera de los videojuegos. El juego era desde hacía tiempo una obsesión a la que dedicaba todas las horas del día, menos cuando su padre le recordaba que tenía que comer, dormir o ir al colegio. Aparte de eso, siempre podía encontrársele en el cuarto de estar, matando alienígenas.

No estaba dispuesto a relajar su vigilancia, convencido de que, si se descuidaba aunque solo fuera un segundo, ello podía tener consecuencias fatales. Podía causar el fin de la civilización, y él no podía permitir que eso pasara.

Ya había perdido a su madre: no podía permitirse perder también a su padre o a su abuela.

—Acabo de hablar por teléfono con la subdirectora del colegio —dijo Steve—. Me ha preguntado si puedo ir a hablar a tu clase el día de las profesiones.

Se dejó caer en el sofá. Los pulgares de Jason se movían a mil por hora sobre el mando. La pantalla estaba llena de marcianos moribundos que se desintegraban convertidos en nubes moradas antes de desvanecerse por completo.

Steve se preguntó si su hijo le había oído.

—No sabía que tuvierais un día de las profesiones.

Jason se encogió de hombros.

—Supongo que sí —masculló.

Sin Julia, su difunta esposa, como amortiguador, Steve se había descubierto avanzando a tientas, intentando encontrar el modo de llegar al mundo de su hijo. Cada vez que creía estar haciendo algún progreso, ocurría algo que le demostraba que seguía en el mismo punto.

Pero no podía cejar ahora, porque tal vez la próxima vez acertara por fin y pudiera acercarse al niño. Quería, por encima de todo, que sus relaciones fueran sinceras y francas, por eso le hacía un montón de preguntas, aunque no obtuviera muchas respuestas.

—Parecía desesperada, así que le he dicho que sí. ¿Te parece bien? —preguntó. No quería avergonzar a su hijo, por muy persuasiva que hubiera sido la subdirectora.

—Supongo que sí —contestó Jason sin verdadero entusiasmo. Luego, girándose para mirarlo por encima del hombro, añadió—: Con tal de que no me beses cuando esté con los otros niños.

Steve sofocó una sonrisa. Eso lo entendía perfectamente. Se acordaba de lo embarazosas que podían ser las muestras de cariño a esa edad.

—Me costará refrenarme, pero te prometo que lo haré.

—Vale —Jason siguió matando marcianos y preguntó distraídamente—. ¿De qué vas a hablar?

—De mi profesión —y al ver la cara de perplejidad de su hijo cuando se volvió para mirarlo, añadió—: Soy abogado, ¿recuerdas?

—Sí, me acuerdo —contestó casi con solemnidad y preguntó—: ¿Vas a hacer algo de abogado para la clase?

Había veces en que le daba la impresión de que Jason no tenía ni idea de a qué se dedicaba. A Julia le gustaba decir que se ganaba la vida discutiendo. Suponía que era una descripción de su oficio tan válida como cualquiera. Pero dudaba que una clase de niños de siete años fuera a entender la broma.

—Voy a explicar a tu clase qué es lo que hace un abogado.

—Ah —estaba claro que Jason no creía que a su clase fuera a interesarle mucho, pero enseguida se le ocurrió la solución—: Podrías llevar chucherías, como hizo la madre de Jeremy cuando fue a hablar de su trabajo.

Steve sopesó cuidadosamente la sugerencia.

—Puede que las lleve, dado que la comida parece ser la única cosa que impresiona a las personas de tu edad.

Los marcianos habían dejado de morir por un momento y el mando permanecía inactivo entre las manos de Jason. Steve comprendió que contaba con toda la atención de su hijo, aunque fuera solo medio minuto más.

—A mí me gusta el chocolate, papá.

—Sí, lo sé —dijo, muy serio.

Y entonces, de pronto, comprendió las consecuencias que tendría el haberle dicho que sí tan alegremente a la subdirectora del colegio: iba a tener que hablar delante de una clase llena de inquietos niños y niñas de siete años e intentar retener su atención al menos diez minutos, si no más.

Miró el teléfono que acababa de colgar. Tal vez se había precipitado al decir que sí.

No le preocupaba en absoluto tener que hablar en público. Lo que más temía era avergonzar a su hijo sin darse cuenta y que eso le hiciera alejarse más aún de él. Los niños de su edad eran muy sensibles y ansiaban mezclarse con los demás, no destacar, y que él fuera a hablar a su clase sin duda haría destacar a Jason.

—Entonces, ¿te parece bien que vaya a hablar a tu clase? —preguntó otra vez.

—Ajá.

Steve dedujo de su tono que estaba otra vez absorto en el exterminio de alienígenas y que de nuevo se hallaba a millones de kilómetros de allí.

Un par de días después, Steve todavía tenía dudas acerca de su charla ante la clase de Jason, pero sabía ya que era demasiado tarde para desdecirse. Se había comprometido y él era un hombre de palabra.

Era una enseñanza que estaba intentando inculcarle a Jason y sabía que, si se rajaba en el último minuto, aparte de dejar en la estacada a la subdirectora, le estaría demostrando a Jason que estaba bien dar la palabra de uno y luego incumplirla por capricho. Quizá no fuera el mejor padre del mundo, pero al menos sabía que eso no era bueno.

La señora Reyes, la maestra de Jason, había puesto dos sillas plegables en la parte delantera del aula, a poca distancia de su mesa. Así los ponentes verían claramente el aula y a sus ocupantes y al mismo tiempo se mantendría a una distancia prudencial de ellos.

Steve tomó asiento, preguntándose quién más se habría dejado convencer para participar en aquella experiencia.

No tuvo que esperar mucho para conocer la respuesta. Un instante después se abrió la puerta de la clase y oyó una voz melodiosa y suave que decía:

—Siento llegar tarde. Tenía una reunión y se ha alargado más de la cuenta.

—Me alegra mucho que haya podido venir —contestó la señora Reyes con una amplia sonrisa.

Steve se volvió y se descubrió totalmente cautivado de sopetón. La joven llevaba lo que parecía ser una ancha maleta, tenía el pelo rubio rojizo, los ojos azules y brillantes y una sonrisa enternecedora.

A diferencia de él, que se había puesto un traje gris claro, iba vestida informalmente con un vestido de verano azul claro que realzaba el color de sus ojos. Y para colmo tenía las piernas más bonitas que Steve había visto desde... No recordaba desde cuándo.

—Hola —le dijo la recién llegada al tomar asiento

a su lado. Lo miró de arriba abajo al preguntar—: ¿Tú también vas a hablar de tu profesión?

—Sí —de pronto no supo qué decir y se limitó a sonreírle, sintiéndose como un completo inepto. Era la primera vez que le pasaba.

—¿A qué te dedicas? —preguntó ella en voz baja, para no distraer a los alumnos—. Bueno, llevas traje, así que será algo importante —añadió ella, y aventuró—: ¿Eres médico?

Steve apenas pudo sacudir la cabeza. Se sentía como paralizado, atrapado por la mirada de la recién llegada. ¿Quién era aquella mujer?

—No —susurró.

—¿Abogado? —inquirió ella.

—¿Cómo lo has sabido?

Ella sonrió y Steve se descubrió aún más embelesado que antes, si eso era posible.

—Por la cancioncilla infantil, ya sabes: «rico, pobre, mendigo, ladrón. Médico, abogado, bucanero peleón». Has dicho que no eras médico y no tienes pinta de bucanero, así que solo podías ser abogado. ¿Qué clase de abogado eres?

—De los buenos —contestó él.

Su respuesta le sonó frívola incluso a él, y eso no era su estilo. Era un abogado bondadoso, justo y perseverante. Pero frívolo, no.

—Ah, un abogado con sentido del humor. Eso está bien —repuso ella con una sonrisa que por un momento rivalizó con los rayos del sol. Luego se inclinó hacia él—. ¿Cuál es el tuyo? —dijo con un susurro que a Steve le pareció increíblemente sexy.

—Ese de ahí, el rubito con el pelo repeinado como si se lo hubiera lamido una vaca —le dijo.

Ella tardó un segundo en encontrar al niño.

—Muy guapo —dijo asintiendo con la cabeza.

Steve sabía que era una respuesta estándar, y quizá fueran imaginaciones suyas, pero le había parecido sincera.

—¿Y el tuyo? —preguntó, pensando que era lo más justo devolverle la pregunta.

—No tengo ningún hijo en esta clase —contestó ella.

A Steve le pareció raro. ¿No se suponía que quienes iban a hablar eran los padres de los alumnos?

—¿Entonces...?

—A la subdirectora le pareció buena idea que viniera a hablar hoy en clase.

Steve llegó a la única conclusión posible: que aquella mujer debía de tener una profesión excepcional.

—¿A qué te dedicas? —preguntó enseguida.

Ella abrió la boca para contestar, pero en ese momento la señora Reyes tomó la palabra:

—Bueno, otra vez es mi miércoles preferido del mes —dijo—. El día de las profesiones —añadió, recalcando las palabras con fruición—. Primero vamos a escuchar al padre de Jason Kendall, Steven Kendall, que va a hablaros de lo que significa ser abogado empresarial —se volvió hacia él con una sonrisa radiante y agregó—: Señor Kendall, somos todo oídos.

Steve se levantó y al instante se dio cuenta de que tenía las piernas un poco rígidas. La última vez que había tenido aquella sensación había sido en el juzgado, al presentar el alegato de su primer caso. Había ganado, pero por los pelos, y aquella victoria le hizo sentirse aún más humilde al comprender lo cerca que había estado de perder su primer caso ante los tribunales. Fue entonces cuando se dio cuenta de que las cosas las decidían los caprichos del destino y, aunque siempre iba preparado y siempre hacía cuanto podía, nunca perdía de vista aquella lección.

Ahora, al presentarse ante la clase, la señora Reyes había dejado vacante su mesa, y él se había colocado detrás mientras hablaba, se acordó de cómo empezar mientras su cerebro corría de un lado a otro, intentando recordar todos los puntos que había anotado previamente.

Era muy consciente de que, aunque los alumnos de siete y ocho años permanecían sentados en sus pupitres escuchándolo educadamente, ni uno solo parecía interesado en lo que estaba diciendo, y mucho menos inspirado por su vocación ni por nada de cuanto acababa de decirles.

Aunque, a decir verdad, reconoció, tampoco les había dicho nada particularmente interesante o estimulante.

Y mucho menos memorable.

Cuando acabó, se hizo un segundo de silencio y luego empezaron los aplausos. Aplausos educados, como si les hubieran enseñado a aplaudir a cualquiera que hubiera acabado de hablar. Steve se alegró de volver a su silla.

—Y ahora tenemos a la señorita Erin O'Brien —en lugar de decirles a qué se dedicaba, la señora Reyes sonrió a sus alumnos—. Esto va a gustaros —prometió—. Creo que la profesión de la señorita O'Brien va a pareceros de lo más interesante —miró a la joven y añadió—: Señorita O'Brien, la clase es toda suya.

Pero entonces no se oyó la voz de la joven, sino

otra. Una voz ahogada, como si saliera de dentro de una maleta.

—¡Eh! ¡Esto está muy oscuro, Erin! ¡Déjame salir!

Erin miró a la clase con sorpresa. Los niños comenzaron a reírse por lo bajo y a intercambiar miradas nerviosas. Ella miró la maleta que había en el suelo, junto a su silla. Puso cara de enfado.

—Tex, te dije que te portaras bien.

—Me estoy portando bien —contestó la vocecilla de dentro de la maleta.

—Si te dejo salir, tienes que prometerme no asustar a los niños —advirtió ella.

—¿Niños? —preguntó la voz, muy intrigada—. ¿Niños deliciosos?

—Eso no vas a averiguarlo. Bueno, ¿prometes comportarte? —preguntó ella.

La voz suspiró.

—¿Tengo que prometerlo? —gimoteó Tex.

—Sí —contestó Erin, cruzando los brazos—. Me temo que, si quieres salir, Tex, no te queda más remedio. Si no, tendrás que quedarte en la maleta hasta que nos vayamos.

Se oyó otro suspiro procedente del interior de la maleta. Luego la voz dijo:

—Está bien. Lo prometo.

—Eso quería oír —contestó Erin.

Abrió los cierres de la maleta y sacó rápidamente al misterioso ocupante que había allí, que resultó ser un gran dinosaurio verde con la cabeza más grande que el cuerpo, como un *tirannosaurus rex* en pequeñito. Pero aquel tiranosaurio llevaba además un sombrero blanco de vaquero y hablaba con acento sureño.

Una vez en los brazos de Erin, Tex paseó exageradamente la mirada entre los niños y niñas sentados ante sus pupitres.

—Sé que he dicho que iba a portarme bien, pero ¿no puedo darle un mordisquito a ese chiquitín de ahí? —la marioneta señaló vagamente a su izquierda, fingiendo babear.

—No, no puedes —insistió Erin—. Hemos venido a hablar delante de estos niños tan simpáticos.

—Habla tú. Yo mientras tanto comeré —contestó Tex, inclinándose mientras miraba a algunos niños.

Erin se irguió y lo miró con severidad.

—Tex, ¿quieres volver a la maleta? Piénsalo despacio.

La marioneta bajó la cabeza, avergonzada.

—No, señora, no quiero.

—Muy bien, entonces nada de comer —repuso ella enérgicamente. Miró a los niños que la observaban ávidamente. Como de costumbre, la invadió una sensación de bienestar y agradecimiento.

—Pero ¿ni siquiera a...? —empezó a decir Tex.

Erin hizo callar al tiranosaurio antes de que pudiera decir un solo nombre: había tenido la precaución de pedirle a la maestra los nombres de todos los niños de la clase y un diagrama de dónde se sentaban. Emplear nombres propios hacía que todo sonara mucho más personal.

—No.

El dinosaurio siguió insistiendo:

—¿Tampoco a...?

—No —contestó ella con énfasis, cortándole antes de que acabara.

Los niños se reían más y más cada vez que hablaba con la marioneta.

—Ahora, recuerda por qué estamos aquí —le dijo al peluche.

Babeando de nuevo, el dinosaurio miró a sus posibles canapés.

—Recuérdalo tú. Yo iré masticando.

Erin volvió a mirarlo con enfado.

—Tex, eres insoportable.

—No, pero es que tengo tanta hambre... —contestó la marioneta—. ¿Oyes eso? —se miró la panza. Se oyó un ruido—. Son mis tripas, que rugen —en lugar de oírse el ruido de un estómago, resonó en la clase el rugido de un león. Los niños siguieron riendo.

Steve tuvo que reconocer que estaba tan fascinado como los niños, salvo que para ellos la conversación entre aquella mujer rubia y el dinosaurio que sostenía en brazos era muy real, mientras que él se sentía cautivado por una ventrílocua buenísima que además era un bombón.

Observaba sus labios y no los vio moverse, y sin embargo sabía que de algún modo tenían que moverse, porque la conversación no dejaba de fluir.

Al final, Erin dio una «charla» de lo más entretenida.

Había llevado otros personajes consigo, juguetes que habían viajado en la maleta y habían salido de ella de un salto, con un poco de ayuda de su parte, cuando los había llamado. Algunos hablaban, otros no, pero todos tenía una cosa en común: no necesitaban pilas, ni enchufes, ni cuerda de ninguna clase.

Lo único que necesitaban, pensó Steve, era imaginación. Muchísima imaginación.

Otra cosa que tenían en común los juguetes era que todos ellos habían surgido de su inventiva, como salidos de una necesidad infantil de mantener a raya la oscuridad.

La joven del dinosaurio parlante había creado todos los juguetes que había llevado consigo, pensó Steve, impresionado por su trabajo, su creatividad y su dedicación a estimular la imaginación de los niños. Además, aunque ella no lo dijo, le dio la impresión de que Erin O'Brien había levantado su empresa juguetera ella sola, lo cual no era tarea fácil en los tiempos que corrían.

No pudo evitar admirar su determinación. Un hombre podía aprender de una mujer como ella. Y lo mismo podía decirse de una clase llena de inquietos niños de siete y ocho años.

Capítulo 3

AQUELLA mujer tenía de verdad algo especial. Aunque a él los niños lo habían escuchado educadamente, se había notado su falta de entusiasmo. Pero no podía reprochárselo, claro: muy pocos niños de esa edad aspiraban a ser abogados. De hecho, dudaba que hubiera alguno que contemplara esa idea, aunque fuera remotamente.

Pero en el momento en que Erin O'Brien había salido a escena, antes incluso de que empezara a «hablar» el dinosaurio, Steve había notado un cambio evidente en la actitud de su público. Los niños parecían pendientes de cada palabra suya, como si esperaran que dijera algo divertido o desternillante. Era casi como si intuyeran lo que se proponía hacer: entretenerles mediante la pura fantasía.

Steve se descubrió también hipnotizado por ella. Pero lo que de verdad llamó su atención fue que, al mirar a Jason, vio que su hijo, normalmente tan serio, parecía animado y pendiente de todo cuanto decía Erin. Y cuando Tex pidió probar «un bocadito chiquitín, chiquitín» de uno de los niños del público, Steve se quedó perplejo al ver reír a Jason a carcajadas.

Su hijo no se había reído así desde la muerte de Julia.

Sintió que se le encogía el corazón en el pecho. Al perder a su madre, los ojos de su hijo habían perdido su brillo. Y no solo eso, sino que su personalidad había sufrido un cambio drástico. Se había vuelto introvertido y se había replegado en el mundo de los videojuegos. Había dejado de jugar con sus amigos, de hacer todo aquello que le recordara a una época en la que su madre aún vivía.

Y aunque estaba preocupado por él, Steve temía sacar a relucir el tema, empeorar las cosas. Sus amigos le aconsejaban que le diera tiempo. Pero ¿cuánto tiempo debía darle? Eso nadie lo sabía, y él menos que nadie.

Sin embargo, allí estaba Jason, riéndose mientras veía a un dinosaurio de mentira y a la mujer que le daba vida. Steve se quedó maravillado. Tanto, que tardó un momento en darse cuenta de que la maestra estaba diciendo algo.

—Y me gustaría darles las gracias a la señorita O'Brien y al señor Kendall por venir esta mañana y tomarse la molestia de hablarnos de sus profesiones —concluyó la señora Reyes.

Enseguida Erin se inclinó hacia él y le dijo en voz baja:

—Creo que quiere que nos levantemos.

Steve se levantó rápidamente, como un muñeco

con muelle que saliera de una caja. Logró disimular su mala conciencia. Había estado tan absorto en sus cavilaciones sobre Jason que no había prestado atención a lo que decía la maestra. Sonrió a la señora Reyes, que parecía complacida.

—Niños, ¿cómo les damos las gracias a estas dos personas tan amables?

En respuesta a su pregunta, los niños comenzaron a aplaudir.

—Gracias por vuestra atención —dijo Steve.

—Quizá la próxima vez podáis darme algún bocadito rico, rico —dijo Erin con su voz de Tex el dinosaurio.

Los alumnos aplaudieron con más fuerza mientras reían y chillaban.

—Está claro que conoces a tu público —le dijo Steve en un aparte.

—Fui niña una vez —contestó ella a modo de explicación—. ¿Tú no?

—No me acuerdo —dijo Steve, intentando contener la risa. Notó que la maleta parecía enormemente llena, casi demasiado pesada para ella—. Espera, deja que te ayude —dijo al abrir la puerta del aula para que ella pudiera salir.

—No pasa nada —contestó Erin al cruzar el umbral, y se cambió la maleta de mano—. Llevo acarreando a Tex y a sus amigos desde antes de que tuvieran una fábrica a la que llamar hogar.

Steve no estaba dispuesto a aceptar un no por respuesta. Cerró la puerta del aula y la alcanzó en dos pasos.

—Aun así, me sentiría como un neandertal si te viera ir así de cargada hasta el coche.

—Puedes probar a cerrar los ojos —sugirió ella.

—Mejor esto —contestó él, y deslizó hábilmente los dedos en el pequeño hueco del asa que dejaba libre su mano.

Erin se encogió de hombros y decidió dejarle llevar la maleta en lugar de enzarzarse con él en un tira y afloja. Tenía que dejar de intentar demostrar constantemente que ya no era una niña enferma, se dijo. Y la voz que oyó dentro de su cabeza sonó curiosamente como la de su madre.

—No quiero que te sientas como un neandertal —dijo al soltar la maleta—. He aparcado ahí delante —y entonces se acordó—. No, qué va —la voz pareció salir de la maleta.

Steve se detuvo y la miró.

—¿Tu maleta está llevándote la contraria?

—Perdona, lo hago a veces cuando estoy nerviosa. Tex siempre consigue centrarme —explicó.

—¿Estás nerviosa? —preguntó, sorprendido, pensando que se refería a la charla que acababa de dar delante de la clase de Jason—. Pues no lo parecía.

—Para eso tengo a Tex.

La verdad era que se había sentido a gusto hablando delante de la clase. Se identificaba con los niños. Lo que le costaba era hablar con los adultos. Eso era lo que la ponía nerviosa. Pero Steve parecía un tipo simpático. Al menos no le había dicho que se comportaba de manera muy rara.

—Acabo de acordarme de que no he aparcado delante. He tenido que aparcar en la calle. El aparcamiento del colegio estaba lleno cuando he llegado. Deberían tener más plazas de aparcamiento —dijo cuando salieron del edificio.

Steve miró a su alrededor. Tenía razón: todas las plazas de delante del colegio estaban llenas de vehículos.

—Supongo que cuando construyeron el aparcamiento no contaron con que iban a conducir tantos niños de sexto curso —comentó en broma.

Tenía sentido del humor. A Erin le gustó aquello.

—No pueden dejarles pasar automáticamente al curso siguiente si no se sacan el carné.

Steve fingió que estaban manteniendo una conversación seria y contestó con expresión adusta:

—Desde luego que no.

—Mi coche está allí —Erin señaló un pequeño y económico Civic bastante usado. Abrió la puerta del conductor y pulsó una palanca para abrir las otras tres. Notó que Steve todavía sujetaba su maleta—. Puedes ponerla ahí —dijo, y sonrió al ver su cara de sorpresa. Casi podía ver lo que estaba pensando—. Creías que tendría un coche más elegante, ¿verdad?

El coche parecía tener unos siete años y, aunque no estaba abollado, se veía un poco viejo.

—No, solo pensaba que parecías más bien del estilo coche deportivo.

—No, gracias. Además, *Jeffy* funciona muy bien —contestó ella, palmeando el capó—. Siempre ha respondido cuando lo he necesitado y suele ser muy leal si me pasa algo.

¿Estaba hablando de su coche o se refería a otra cosa más general? Las mujeres a las que había conocido últimamente parecían muy interesadas en tener siempre lo más nuevo, lo último, lo mejor. De pronto se sintió muy atraído por aquella mujer y sus divertidas vocecillas.

—¿Le pones nombre a todo? —quiso saber.

—A casi todo —contestó muy seria—. Pero solo si tiene personalidad, o si le va bien el nombre.

—¿Y por qué el nombre de *Jeffy* le va bien a un Civic? —preguntó Steve intrigado.

—Por las letras de la matrícula —Erin rodeó el coche y señaló la placa de atrás, que mezclaba números y letras. Decía: «JFF»—. Se parece tanto a «Jeff», y Jeff se parece tanto a...

—Jeffy. Ya lo pillo —concluyó él, y asintió, divertido—. Interesante proceso deductivo.

De repente se dio cuenta de que, si cada uno se iba por su lado, era muy probable que no volviera a verla. Y eso le pareció inaceptable.

Fuera de su bufete, era un hombre bastante discreto y tranquilo al que desde luego no le gustaba ponerse pesado con los demás. Por eso dudó. Pero quien no arriesgaba nada no ganaba nada, y un rato antes había oído reír a Jason. Eso, desde luego, merecía una investigación más a fondo.

Sujetó la puerta del coche cuando ella iba a montar. Erin lo miró extrañada.

—Oye, esta mañana no tengo ninguna cita porque no estaba seguro de cuánto iba a durar la charla en el cole, así que no tengo que volver al despacho hasta después de comer. ¿Te apetece que vayamos a tomar un café, o un té, o algo? —como no dijo que no, añadió—: Hay una pastelería francesa estupenda cerca de aquí, es un sitio pequeño y también es cafetería.

Erin se mordió el labio y consultó su reloj. Tenía cosas que hacer esa tarde y normalmente no se iba a tomar algo con un hombre al que había conocido hacía apenas una hora. Se entendía estupendamente con los niños, pero con los adultos, en cambio, era extremadamente tímida y tenía que hacer un enorme esfuerzo para parecer extrovertida.

«Por amor de Dios, es una cafetería, no un tugurio en un barrio peligroso», dijo una vocecilla dentro de su cabeza. «Tu madre siempre te está dando la lata para que salgas más. Y, ya que estás fuera de la oficina, aprovecha la ocasión».

Steve vio que miraba el reloj y dudaba.

—Perdona —dijo—. Es que he pensado que, como yo no tenía que volver hasta después de comer, tú también estabas libre. Pero seguramente tienes cosas que hacer.

«Te está dando la posibilidad de negarte. Acéptala», se dijo Erin. «Acéptala».

Aun así...

—Bueno, ahora mismo no —dijo.

—Genial —respondió él con una amplia sonrisa que a Erin le pareció atractiva al instante—. ¿Qué te parece si voy a por mi coche y me sigues hasta la cafetería, a no ser que prefieras que te lleve?

A Erin le gustó que no intentara dominar la situación inmediatamente.

—Siempre me han gustado las opciones múltiples. Yo te sigo —decidió, pensando que se sentiría mejor si llevaba su coche, por si las cosas no salían bien.

—No te muevas de aquí —le dijo él mientras comenzaba a alejarse hacia su coche.

—Difícilmente voy a poder seguirte si no te espero, ¿no crees? —repuso ella, divertida.

—Exacto —sin dejar de caminar, Steve se dio la vuelta para que lo oyera—. Enseguida vuelvo.

Mientras se alejaba a toda prisa, se le ocurrió pensar que, si alguno de sus clientes lo hubiera visto comportarse de manera tan complaciente, habría tenido dudas acerca de su capacidad para representarle ante los tribunales. Pero aunque profesionalmente fuera un hombre decidido, inteligente y enérgico, en su vida privada Steve Kendall era mucho menos dominante y resuelto.

Julia lo había mimado demasiado. Habían sido novios desde niños: Steve había sabido que quería casarse con ella cuando solo tenía trece años, a pesar de que hubiera tardado otro año y medio en reunir el valor necesario para darle un beso.

Aquello había zanjado la cuestión para los dos. Steve no había salido con ninguna otra chica, nunca había sentido la tentación de ir de flor en flor. Siempre había querido ser el marido de Julia y, el día en que le propuso matrimonio, ella le confesó que jamás se le había ocurrido pensar en casarse con otro que no fuera él. Estaban hechos el uno para el otro. Y, como consecuencia de ello, Steve nunca había tenido que sufrir en el arduo campo de entrenamiento del ligoteo.

Por eso, se dijo, ahora se sentía tan incapaz, por eso se le daba tan mal aquel ritual entre hombres y mujeres. A pesar de que, cuando era posible, se esforzaba por adoptar en su vida privada la misma actitud que tenía en su vida profesional, él era el primero en reconocer, aunque solo fuera para sus adentros, que en realidad no sabía lo que hacía.

Le resultaba especialmente difícil charlar por charlar. Pero, aunque solo habían intercambiado unas palabras, tenía la impresión de que era fácil hablar con Erin. Y además había causado buena impresión a Jason, lo que era mucho más importante. Por tanto tenía que aventurarse en aquel camino, por su propio bien y por el de Jason.

Detuvo el coche donde Erin seguía esperándolo, bajó la ventanilla y dijo innecesariamente:

—Bueno, ya puedes seguirme.

—Pensaba que nunca ibas a pedírmelo —ella se echó a reír, puso en marcha su coche y arrancó.

La cafetería de la que le había hablado Steve estaba en medio de una pequeña calle comercial, entre unos multicines y una academia de pintura. Parecía un sitio agradable, pensó Erin. Y además había aparcamiento de sobra, así que, cuando Steve encontró un hueco, ella pudo aparcar justo a su lado.

Él salió de su coche y se acercó rápidamente al de ella para abrirle la puerta. «La caballerosidad no ha muerto», se dijo Erin, complacida.

—No parece gran cosa —le dijo él mientras se acercaban a la cafetería, pero las pastas prácticamente se elevan del plato y el café es el mejor de por aquí. Del té, en cambio, no puedo decirte nada —añadió en tono de disculpa.

—No pasa nada, en el fondo me gusta más el café —contestó ella.

Un olor a café recién hecho, mezclado con el aroma a bollos y pastas recién sacados del horno, les salió al encuentro tan pronto Steve abrió la puerta.

Erin sintió que se le hacía la boca agua en cuanto entró en la cafetería.

—Bueno, adiós a mi dieta —dijo—. Creo que he engordado dos kilos solo con este olor.

—¿Qué les apetece? —preguntó amablemente la señora que atendía la barra.

Erin miró las pastas, a cual más tentadora.

—Una de cada —le dijo a la mujer soñadoramente.

Aunque amable, la señora no parecía tener mucho sentido del humor.

—Eso está hecho —contestó con voz muy seria.

Temiendo que empezara a poner dulces en la bandeja que había tomado Steve y que ahora reposaba sobre el mostrador, Erin se apresuró a negar con la cabeza.

—No, no, era una broma, solo estaba fantaseando —explicó. Respiró hondo, observó los dulces una última vez y tomó una decisión—. Voy a tomar un café y una napolitana de crema.

—Que sean dos —le dijo Steve a la señora.

—Como quieran —contestó ella inclinando la cabeza. Les sirvió dos tazas humeantes de un aromático café solo y dos grandes napolitanas rellenas de crema, cada una en un plato, y comenzó a hacer la cuenta—. ¿Se lo cobro todo junto? —preguntó.

—No —contestó Erin.

—Sí —dijo Steve al mismo tiempo, y su voz sonó ligeramente más alta que la de ella. Sacó un billete de veinte y se lo dio a la mujer.

—No, en serio, no hace falta —protestó Erin, echando mano de su monedero.

La mujer no pareció oírla y le dio el cambio a Steve. Él metió las vueltas en el tarro de las propinas y agarró la bandeja. La señora sonrió por primera vez.

—No hacía falta que me invitaras —le dijo Erin mientras se acercaban a una mesita para dos.

Steve dejó la bandeja y la miró.

—Si tú me hubieras invitado a un café, habría esperado que pagaras tú —le dijo alegremente, a pesar de que en realidad no habría permitido que pagara ella. Nunca le había gustado la idea de pagar a escote. No se sentía cómodo haciéndolo, y menos aún tratándose de algo tan insignificante como una napolitana rellena de crema y una taza de café—. ¿Sabes qué te digo? —añadió al sentarse después que ella—. Dime con qué estabas fantaseando y estamos en paz.

Erin lo miró un poco desconcertada.

—¿Qué?

—Hace un momento, cuando esa señora iba a ponerte «uno de cada», has dicho que solo estabas «fantaseando» —mientras hablaba repartió las tazas y las napolitanas. Luego puso la bandeja en el suelo, detrás de su silla—. ¿Es que sueñas con dulces?

Lo decía en broma. En realidad, no esperaba que ella respondiera en serio.

—Constantemente —le dijo Erin con un sentido suspiro.

—¿De pequeña no te dejaban comer dulces? —preguntó él.

—Sí que me dejaban —respondió—. Pero siempre los vomitaba.

Steve bebió un sorbo de café antes de preguntar:

—¿Tenías alergia?

Erin cortó un trozo de napolitana y la saboreó antes de responder:

—No, era por la quimio.

—Por la quimio —repitió Steve, pasmado—. ¿Te refieres a quimioterapia?

—Esa es la palabra —contestó ella, asintiendo con

la cabeza. Aunque habían pasado más de veinte años, todavía le daba escalofríos oír aquel término.

Steve tuvo la impresión de haber abierto la boca a más no poder y haberse metido en ella no un pie, sino los dos.

—Lo siento, Erin. No quería traerte malos recuerdos.

Ella le sonrió, agradecida por que fuera tan considerado.

—No, nada de eso. He sido yo quien lo ha sacado a relucir. Tú solo me has preguntado.

¿Cómo podía salir del paso sin parecer torpe o insensible?, se preguntó Steve.

—¿Estás... mejor? Perdona, no es asunto mío...

—No pasa nada —le aseguró ella—. No me importa contestar. Hay mucha gente que se comporta como si fueras una criatura alienígena cuando tienes cáncer. No saben qué decir, así que no dicen nada. Sencillamente, desaparecen de tu vida. En cuanto a tu pregunta, sí, estoy perfectamente, gracias por preguntar. Y además no fue tan terrible —le confesó—. Estar tan enferma me hizo apreciar todo lo que tenía, todo lo que pude disfrutar cuando salí del hospital. Además, de no ser por aquella experiencia, no habría conocido a Tex.

—Tex —repitió él, en blanco por un momento. Luego se acordó—. Tu peluche, ¿verdad?

—Eh, ¿a quién llamas peluche? —preguntó una voz aguda, pillándolo por sorpresa, y Steve miró automáticamente a su alrededor para ver de dónde salía aquella voz. Después se dio cuenta de que era Erin quien la había proyectado.

Ella intentó no reírse.

—Perdona —dijo, divertida—. Es que no he podido resistirme. Tex forma parte de todo lo que hago, así que tengo que admitir que a veces casi me parece que es real.

—Ya somos dos —repuso él. Entonces se dio cuenta de que Erin había posado la mano sobre su muñeca mientras hablaba.

Y, en cuanto lo tocó, sintió una conexión instantánea con aquella mujer única y llena de vida.

Capítulo 4

LLENO de interés, Steve se descubrió haciéndose preguntas acerca de ella. Un montón de preguntas.

Para empezar, le intrigaba cómo se había referido a la marioneta que había conseguido cautivar a la clase.

—¿Cómo «conociste» a Tex? —preguntó. Y antes de que ella pudiera responder, añadió rápidamente—: Y, si no te importa, prefiero que me lo cuentes tú y no él.

En lugar de ofenderse, Erin se rio.

—Claro. No quería que te sintieras incómodo al usar su voz —se disculpó.

Steve no quería que pensara que carecía de sentido del humor.

—No es que me sienta incómodo —le dijo mientras buscaba el modo más adecuado de explicarle lo que sentía—. Creo que me siento un poco raro teniendo una conversación con una maleta. Sobre todo porque la maleta está en tu coche.

—Bueno, al menos no te has quedado ronco por tener que gritar —dijo la voz de Tex. Y a continuación Erin le lanzó una sonrisa encantadora—. Perdona, no he podido resistirme a hacer un último chiste.

—Puede que te hayas equivocado de vocación —comentó Steve.

—¿Y a qué debería dedicarme? —preguntó ella, extrañada.

—A los monólogos cómicos con Tex y tus otros juguetes —eso le recordó otra cosa—. Por cierto, has sido muy generosa trayendo juguetes para toda la clase.

Erin se encogió de hombros tímidamente de un modo que a él le pareció sumamente atractivo.

—En realidad es un poco egoísta por mi parte.

—¿Y eso? —preguntó él.

—Muy fácil: recibo mucho más de lo que doy. No hay nada mejor que ver la cara de un niño iluminada por la alegría y saber que en parte eres responsable de ello —antes de que Steve pudiera responder, cambió rápidamente de tema—. Y en cuanto a tu sugerencia de que me dedique a la comedia, satisfago ese capricho dos veces al año, cuando voy de visita al Hospital Infantil del Condado de Orange.

—¿Dos veces al año? —repitió él—. Déjame adivinar: en torno a las vacaciones.

—Está claro que eres un lince —bromeó ella.

—Ibas a contarme cómo os conocisteis tú y... —bajó la voz sin darse cuenta— Tex.

Erin se quedó mirándolo, extrañada.

—¿Por qué has hecho eso? —preguntó, riendo.

—¿Qué?

—Bajar la voz antes de decir «Tex».

Steve se dio cuenta enseguida de que tenía razón: había bajado la voz automáticamente, como si estuvieran hablando de Jason estando su hijo cerca. Se rio de sí mismo y de la situación.

—Porque has conseguido que me comporte como si ese peluche tuyo fuera de verdad —confesó.

Ella se lo tomó como un cumplido y sonrió, agradecida.

—Entones creo que te debo una explicación. Creé a Tex para que me hiciera compañía. Cuando me diagnosticaron el cáncer, yo no sabía qué era eso, pero me di cuenta de que era algo que a mi pobre madre le daba terror. Ella intentaba que no se le notara, pero lloraba un montón. Luego, alguien habló a mi padre de un famoso hospital infantil en Memphis. Mi madre me llevó allí sin perder un instante. Mi padre se quedó en casa, trabajando. La gente del hospital era muy amable —añadió con cariño—. Pero el tratamiento es un proceso largo y da mucho miedo cuando eres un niño. Echaba mucho de menos a mis amigos de casa. Me mandaban mensajes y durante unas semanas nos mantuvimos en contacto, pero la cosa no duró mucho y, poco a poco, acabó —se encogió de hombros, evitando los ojos de Steve—. Sentí que se habían olvidado de mí. Quería tener un amigo que siempre estuviera ahí cuando me sentía asustada o sola. Y mi madre me dijo que nunca estaría sola, mientras tuviera mi imaginación.

—Muy lista, tu madre —comentó él.

Erin sonrió.

—Sí, lo es... cuando no se comporta como una gallina clueca. El caso es que me chiflaban los dinosaurios, así que me inventé a Tex. Al principio no era más que un calcetín gordo de color verde al que le dibujé una cara con un rotulador para tela. Luego mi madre consiguió un poco de fieltro verde y yo compré unas lentejuelas y relleno de cojines en una tienda de manualidades. Lo cosí a mano junto a mi cama y le dibujé la cara —sonrió al recordar el primer prototipo. Todavía lo tenía guardado en una caja, en su armario—. No era muy bonito, pero sí muy, muy leal, que era lo que yo quería.

»Me abrazaba a él cuando me llevaban a las sesiones de tratamiento —a pesar del tiempo transcurrido, aquel recuerdo seguía muy fresco en su memoria—. Y nunca se apartaba de mi lado, por muy mala que me pusiera. Pasado un tiempo, empecé a pensar que era de verdad. Como no podía ir a ninguna parte, me inventé fantásticas aventuras en las que participábamos los dos. Eso me ayudó a superar algunos de los momentos más difíciles —añadió, intentando quitar importancia a aquella experiencia, a pesar de que, anímicamente, había sido una verdadera montaña rusa.

»Después me curé milagrosamente y empecé a pensar en otros niños que tenían que pasar por lo mismo que yo. Otros niños que tal vez se sintieran abandonados, solos y asustados. Quise ayudarlos a superarlo, como Tex me había ayudado a mí. Ese deseo no me abandonó nunca, así que, cuando todavía estaba en la universidad, se me ocurrió crear una línea de dinosaurios de peluche que no hicieran nada, pero tuvieran un aspecto cariñoso y encantador. Y con cada peluche incluía un librito de aventuras que corrían el juguete y el niño o la niña al que pertenecía. Doné los primeros cien que hice al ala infantil del hospital local.

A Steve no le costó imaginársela haciendo algo así. Erin tenía un corazón enorme, pensó.

—No es muy rentable —comentó.

—Claro que sí —le aseguró Erin con convicción—. No te imaginas cuánto. Ver esas caritas felices es algo que no tiene precio. Y sentía que estaba devolviéndole algo al sistema sanitario que me había curado. El caso fue que el hijo de un periodista de la televisión local estaba entre los niños del hospital a los que les regalé mis dinosaurios. El periodista hizo un pequeño reportaje sobre mí. El reportaje apareció en otros medios y, casi sin que me diera cuenta, se convirtió en noticia nacional y empecé a recibir donaciones para crear más juguetes y más libros —le sonrió mientras se acababa la napolitana—. Y así, de pronto, me encontré metida oficialmente en el negocio juguetero. Recibía tantos pedidos que no daba abasto. Entonces decidí que necesitaba ayuda y contraté a un par de personas con las que había ido a la universidad. Poco después ya no eran suficientes para mantener el ritmo de producción, así que contraté a un par más. Y ahora estoy tan liada que no tengo tiempo ni para lavarme los dientes —se sonrojó—. Creo que me he extendido más de la cuenta.

Lo cierto era que Steve deseaba que siguiera hablando, pero prefirió no decírselo de momento.

—Pues parece que has encontrado tiempo para la charla en el colegio.

Erin se rio.

—Me cuesta decirle que no a la gente menuda —le dijo.

—¿A los niños o a la señora Reyes? —preguntó él en broma.

Ella sonrió.

—La señora Reyes es bastante menudita, sí. Aunque la verdad es que fue la subdirectora del colegio quien me llamó. Una tal Felicity —recordó—. Cuando me dijo que tendría que hablar delante de una clase de niños de segundo curso, se me quedaron los labios como pegados y no pude decirle que no —se encogió de hombros—. Así que no lo hice.

Cuando se había referido a sus labios, Steve los había mirado y se había sorprendido preguntándose fugazmente cómo sería sentirlos sobre los suyos. Al instante siguiente se reprendió a sí mismo. ¿Qué le pasaba?

«Ya no buscas pareja, ¿recuerdas? Lo has intentado y se te da fatal, o a lo mejor es que no sabes elegir a la candidata adecuada».

Salir con mujeres le hacía sentirse como pez fuera del agua. Naturalmente, el rato que estaba pasando con Erin estaba siendo delicioso, pero no podía llamarlo exactamente una «cita». En todo caso era un paréntesis agradable, una pausa en su ajetreada rutina diaria. Solo estaba tomando un café con una persona muy simpática, nada más.

No debía darle mayor importancia, se dijo.

—Tengo que reconocer que he sentido un poco de envidia viéndote.

—¿Envidia? —Erin pareció sorprendida—. ¿Por qué?

—Los niños parecían pendientes de cada palabra que decías.

—Estaban muy concentrados mirando los juguetes, con la esperanza de que alguno acabara en sus manos.

Steve sabía que no.

—Ya estaban pendientes de ti antes de que empezaras a repartir juguetes. En cuanto empezaste a hablar, te has metido a toda la clase en el bolsillo.

Ella no lo veía así.

—En cuanto empezó a hablar Tex, querrás decir. No era una adulta hablándoles: era la guardiana de Tex. Los niños siempre están dispuestos a dejar la realidad en suspenso y a creer en dinosaurios que hablan o en cualquier cosa que prenda la chispa de su imaginación. Ese es el truco —añadió con visible orgullo—. Estimular su fantasía, hacerlos partícipes de un mundo imaginario. Les encanta que los adultos les acompañen en ese mundo, en el que pueden correr grandes aventuras y donde absolutamente todo es posible. Y, si te soy del todo sincera, a mí también me encanta —agregó—, porque me permite experimentar, aunque sea a través de ellos, lo que no pude vivir cuando tenía su edad.

Con las palabras mínimas, Erin había logrado crear en la mente de Steve una imagen de la niña que había sido antaño. Había despertado al mismo tiempo su compasión y, lo que era más importante, su admiración. No solo había sobrevivido a la enfermedad, sino que había logrado encontrarle su lado bueno y utilizar lo que había aprendido para ayudar a otros niños que se enfrentaban a esa terrible situación.

—Bueno, sea cual sea la explicación, lo único que sé es que mi hijo estaba embelesado contigo... y con Tex.

A ella le gusto que se refiriera también al dinosaurio. Demostraba que era una persona flexible, además de empática, cualidades ambas que le parecían muy importantes.

—Tu hijo —se quedó callada un momento, intentando recordar a los alumnos de la clase—. ¿Ese tan calladito, con unos ojos verdes preciosos? —unos ojos que parecía haber sacado de su padre, notó entonces.

—Sí, ese es Jason —contestó Steve—. Hacía dos años que no lo veía tan entusiasmado con algo, o con alguien.

Erin sabía que debía marcharse, pero aquel hombre de magnéticos ojos verdes había conseguido picar su curiosidad con su último comentario. Los niños, decididamente, eran su debilidad.

—¿Qué ha pasado estos dos últimos años? —preguntó, preguntándose si no se estaría pasando de la raya.

—Casi nada, la verdad —confesó él. Acabó su café y su bollo y puso los platos uno encima del otro—. La niñera va a buscar a Jason al colegio y lo lleva a casa, y él se pone enseguida delante de la tele del cuarto de estar.

El niño debía de tener unos siete u ocho años.

—¿A ver los dibujos? —preguntó Erin.

Steve negó con la cabeza.

—A jugar a los videojuegos —contestó—. Excepto cuando consigo que se ponga a hacer los deberes, está siempre pegado a la pantalla, jugando a un videojuego en el que tiene que disparar a un ejército de marcianos para impedir que destruyan la Tierra.

Erin conocía vagamente el videojuego.

—Noble empresa —comentó, pero no pudo evitar añadir—: Un poco sanguinaria para un niño de siete años, pero aun así noble.

—El juego está autorizado oficialmente para su edad —le dijo Steve. Se había asegurado de ello, pero cada vez que veía a Jason jugando, tenía sus dudas. Por desgracia, su hijo parecía enganchado a él—. Además, teniendo en cuenta cómo estaba antes de que empezara a jugar, me alegré horrores de que mostrara interés por algo.

»Pero por desgracia ahora es imposible apartarlo de la pantalla, como no sea para ir al colegio o a la cama —confesó—. En cierto modo, es como si fuera la única realidad que es capaz de afrontar. Por eso, cuando le he oído reír esta mañana, de pronto ha sido como ver salir el sol después de cuarenta días seguidos de lluvia, con sus noches.

En lugar de regodearse en el cumplido implícito, Erin sintió curiosidad por la razón que había llevado a su hijo a encerrarse hasta aquel punto sobre sí mismo. Tenía la sensación de que estaba pisando terreno privado, pero al mismo tiempo intuía que el hombre sentado frente a ella necesitaba desahogarse, hablar de lo que inquietaba a su hijo... y posiblemente a él también.

—¿Qué pasó hace aproximadamente dos años? —preguntó con suavidad, en voz baja, mirándolo fijamente a los ojos para darle a entender que podía confiar en ella.

Steve respiró hondo antes de hablar, como si de algún modo aquello pudiera protegerlo del dolor que le causaban siempre aquellas palabras.

—Que Julia, la madre de Jason, murió.

Erin sintió una oleada de compasión.

—Lo siento muchísimo —dijo, y lamentó no tener otro modo de expresarle la honda pena que sentía por él en ese momento.

Era muy consciente de que perder a alguien muy

cercano era como recibir un puñetazo en el estómago, un puñetazo que nunca dejaba de doler. Eso había sentido al morir su padre tan de repente, hacía casi diez años.

Su madre había sentido algo parecido. Erin sabía que no lo había superado del todo, a pesar de que se esforzaba por aparentar lo contrario. Sospechaba que, en cierto modo, Steve y su hijo debían hallarse en la misma situación. Y que, sin duda, Jason se daba cuenta de que su padre solo estaba disimulando, lo mismo que ella se daba cuenta de los esfuerzos que hacía su madre por aparentar que estaba bien.

—¿Y Jason no ha parado de jugar a ese videojuego desde que lo tiene?

Steve asintió.

—Prácticamente desde el principio. Como te decía, cuando empezó, pensé: «Genial, por fin se está recuperando, se está interesando por algo. Está empezando a jugar otra vez». El problema es que siempre juega solo, nunca contra otros jugadores. Sigue sin querer ver a sus amigos, a pesar de que me he ofrecido mil veces a invitarlos a casa. Hasta me he pasado un par de veces por el colegio a la hora del recreo. Lo veo sentado solo en el patio... —miró a Erin meneando la cabeza—. Y se me parte el corazón, pero no sé qué hacer.

Erin le hizo una pregunta muy básica:

—¿Has probado a hablar con él?

—Claro —contestó enseguida—. Hablo con él constantemente y, de vez en cuando, él responde diciendo que sí con la cabeza o masculla algo, pero casi siempre vive en ese mundo que yo no puedo alcanzar.

Erin tenía la sensación de que había malinterpretado su pregunta. Decidió formularla de otro modo:

—¿Incluso cuando le hablas de su madre?

Steve tardó un momento en contestar.

—Bueno, yo no... Nosotros no... No sacamos el tema —reconoció por fin.

—Pues deberíais.

¿No se daba cuenta? El niño había perdido a su madre y era evidente que se sentía a la deriva porque su padre no parecía echarla de menos tanto como él. Erin se daba cuenta de que no era cierto, pero ella no tenía siete años.

—Si no te importa que me meta donde no me llaman...

—Adelante —la animó Steve, dispuesto a reconocer que necesitaba ayuda.

—Pues creo que tenéis que ayudaros mutuamente a encarar esa pérdida. A mi modo de ver, Jason juega sin parar a ese juego porque en ese universo cabe la posibilidad de que pueda controlar lo que ocurre. En ese universo, no permitiría que su madre muriera. Por eso se pasa el día matando alienígenas, para mantener el mundo a salvo y, por tanto, de manera indirecta, también a su madre.

—Entonces, ¿no debo intentar que pare de jugar? —preguntó él, indeciso.

—Sí, sí, desde luego que debes intentarlo. Jason necesita volver al mundo real. Necesita ser capaz de crear lugares seguros donde pueda habitar. Y el mejor modo para hacerlo es utilizar la imaginación.

—En otras palabras, que necesita a su propio Tex.

Erin sonrió y dijo que sí con la cabeza. Por fin se estaban entendiendo.

—Exacto.

Comprar juguetes era otra de esas cosas de las que

siempre se había encargado Julia. En los últimos dos años, Steve se había dado cuenta de hasta qué punto había delegado en ella, de todas las cosas de las que se había ocupado su esposa, aliviándolo de esa carga.

—¿Sabes?, la verdad es que no sé mucho de juguetes. ¿Dónde puedo comprar a Tex? —preguntó, y añadió—: Porque imagino que se venden en las tiendas, ¿no?

Ella sonrió.

—Ahora mismo, mis peluches se encargan todavía por correo, pero hay un par de grandes cadenas de tiendas de juguetes que empezarán a venderlos dentro de poco —explicó con evidente entusiasmo.

En ese momento comenzó a sonar su teléfono móvil dentro del bolso. Lo sacó y apagó la alarma. Notó la mirada curiosa de Steve.

—Es para acordarme de que tengo una reunión dentro de media hora —explicó ella. Se levantó y él hizo rápidamente lo mismo—. ¿Qué te parece si me das tu tarjeta y le mando a tu hijo uno de mis juguetes?

—Eso sería fantástico —Steve sacó su cartera, extrajo una tarjeta y se la dio. Luego abrió la solapa en la que guardaba los billetes—. ¿Cuánto te debo por el juguete, y por los gastos de envío, claro? —añadió.

—Todavía no sé qué juguete voy a mandarle —contestó Erin.

—Bueno, entonces pon la factura dentro del paquete.

Erin asintió vagamente con la cabeza en el instante en que empezaba a sonar otra alarma para recordarle el motivo de la primera. Le lanzó una sonrisa de disculpa.

—Es una reunión muy importante —dijo. Miró su tarjeta un momento y se la guardó—. Gracias por el café.

—Gracias a ti por la compañía... y el consejo —añadió él.

—Entonces, ¿vas a hablar con tu hijo? —preguntó.

—Voy a intentarlo —repuso él. Hablar sobre la muerte de Julia seguía siendo extremadamente doloroso para él. Prefería no pensar en su difunta esposa hasta que se sintiera capaz de afrontar aquel recuerdo. Pero ese momento no había llegado aún, a pesar de que durante un tiempo se hubiera aventurado a volver a salir con mujeres.

Cuando estaba a punto de marcharse, Erin se detuvo ante la puerta de la cafetería y dijo:

—No lo intentes: hazlo.

Y con esas salió rápidamente.

Capítulo 5

HABÍA días en que Erin tenía la sensación de empezar a correr nada más poner el pie fuera de la cama. Lo único que cambiaba en realidad, de vez en cuando, era la velocidad a la que corría: unas veces a velocidad máxima, y otras veces casi, casi.

Ese día era de los de velocidad máxima, a pesar de que se hubiera permitido el lujo de tomarse un descanso después de su charla en el colegio.

Mientras estaba sentada a su mesa, trabajando, se sonrió. Tenía que reconocer que hablar con Steve había sido una experiencia muy agradable. Sobre todo porque no había intentado impresionarle, ni había tenido que pensar si quería o no una segunda cita, porque, a fin de cuentas, tomar un café con él no constituía una cita en absoluto.

Fuera por lo que fuese, lo cierto era que se había sentido completamente relajada y a gusto.

Steve, por su parte, había conseguido que se mostrara mucho más abierta de lo que solía. Pero, pensándolo bien, seguramente se debía a su experiencia como abogado.

Un abogado...

Mientras sus dedos volaban sobre el teclado, se rio por lo bajo. Steve no se parecía a ningún abogado que ella conociera. No era agresivo, ni entrometido, ni pesado. Se mordisqueó el labio. Seguramente no era justo pensar así de los abogados, pero era la única imagen que tenía de ellos.

«Menos fantasear y más pensar», se dijo.

Estaba trabajando en una idea nueva al mismo tiempo que intentaba organizar una presentación para una de las dos cadenas de tiendas que se habían interesado por distribuir sus juguetes. Absorta en sus pensamientos, oyó de pronto que se abría la puerta de su despacho y, aunque no había oído llamar a la puerta, dedujo que seguramente eran Rhonda o Mike, los dos miembros de su equipo con los que más se relacionaba.

—¿Qué opinarías de un abogadosaurio monísimo y entrañable?

—No creo que puedas crear un abogado entrañable, pero tampoco creía que un tiranosaurio pudiera serlo, y mira lo equivocada que estaba.

Aquella voz no pertenecía ni a Rhonda, ni a Mike. Sorprendida, Erin levantó la cabeza y vio que su madre estaba cerrando la puerta del despacho.

—Mamá, ¿qué haces aquí?

Eleanor O'Brien se encogió de hombros vagamente.

—Si la montaña no va a Mahoma, Mahoma tendrá que ir a la montaña, así que aquí estoy.

—¿Así que ahora soy una montaña? —de pronto se acordó de otra conversación que había tenido hacía poco tiempo y, al acordarse, se sonrojó—. Anoche me perdí la cena, ¿verdad? Lo siento.

Eleanor lo dejó pasar.

—No fue muy emocionante. Además, tenías que preparar la charla para hoy —dijo su madre, ofreciéndole una excusa—. Bueno, ¿qué tal te ha ido en el colegio? —preguntó Eleanor—. ¿Cómo ha ido el día de las profesiones?

Erin la miró sorprendida. No le había dicho nada concreto sobre la charla que iba a dar, porque sabía que, si lo hacía, su madre se pondría a hablar de sus ganas de tener nietos.

—¿Cómo sabías lo del día de las profesiones? —preguntó.

—Soy madre. Lo sé todo —contestó—. Si alguna vez eres madre, te darás cuenta de que es de lo más natural.

Ya le había hablado de tener hijos y no llevaba ni cinco minutos allí. Increíble, pensó Erin, y entornó los ojos al mirar a la persona a la que quería más que a nada en el mundo, pero que también era capaz de volverla loca más deprisa que cualquier otro ser humano.

—Has interrogado a Gypsy, ¿verdad? —preguntó, refiriéndose a su secretaria.

—No ha hecho falta —contestó su madre altivamente—. Ya te lo he dicho: yo lo sé todo.

—Como quieras, mamá. Si lo sabes todo, entonces también sabrás cómo me ha ido.

Su madre prefirió sortear la cuestión.

—Cierto, pero me gustaría escucharlo de tus propios labios. Así es mucho más personal —dijo con una amplia sonrisa—. Además, casi nunca podemos hablar —añadió con una nota melancólica.

Erin la miró pacientemente. Habían pasado por muchas cosas juntas y su madre había sido su salvavidas durante la época terrible de la quimioterapia. Jamás perdía los nervios con ella, pero eso no significaba que estuviera dispuesta a tragarse todos sus trucos.

—Entonces, ¿con quién hablo por teléfono cinco noches a la semana, si no es contigo? —preguntó con aire inocente.

—No seas descarada, Erin. Yo no te eduqué así. Y solo son cuatro noches a la semana —puntualizó Eleanor—. Eso, si tengo suerte.

Si no le paraba los pies, su madre podía seguir así horas y horas.

—Mamá, de verdad, estoy muy ocupada...

—Sí, lo sé, cariño —la interrumpió—. Y también tienes mucho éxito. Pero algún día, cuando yo falte, lamentarás no haberte parado de vez en cuando a hablar conmigo en persona. Claro que para entonces ya será demasiado tarde.

Erin suspiró y apartó su silla del escritorio.

—Está bien, está bien, me rindo. Habla —dijo, y añadió—: ¿Sabes, mamá?, deberías dar clases de interpretación.

—Le estoy dando vueltas, cariño —reconoció Eleanor con una sonrisa cansina—. Sería un modo de llenar mis horas vacías... hasta que tenga un nieto con el que jugar, claro está.

—Mamá...

Eleanor levantó las manos.

—De acuerdo, ya lo dejo. Además, has dicho que te rendías —le recordó—. Así que lo haremos rapidito.

Háblame de tu charla en el colegio. ¿Ha tenido éxito Tex?

—Siempre lo tiene —dijo Erin con orgullo.

—Seguramente a otra persona le será difícil estar a tu altura —teorizó su madre.

Erin la miró fijamente.

—¿De qué estás hablando?

Eleanor abrió las manos.

—Bueno, supongo que no eras la única que iba a hablar de su profesión delante de la clase. Normalmente hay al menos dos personas, ¿no? —preguntó con inocencia.

Tal vez estaba sospechando injustamente de su madre, pensó Erin. De momento, le daría el beneficio de la duda, aunque su instinto le decía que allí había gato encerrado.

—Pareces tener más experiencia que yo en ese terreno —contestó—. Pero sí, la verdad es que había una persona más.

—¿A qué se dedicaba ese señor? —preguntó Eleanor y, esquivando a propósito la mirada de su hija, tomó una figurilla de su mesa. Era otra de las creaciones de Erin.

El radar de Erin ya se había disparado.

—¿Cómo sabes que era un hombre? —preguntó.

—Tenía un cincuenta por ciento de posibilidades de acertar —contestó Eleanor tranquilamente, sin dejar de jugar con la figurilla—. Seguramente la señora Reyes quería que sus alumnos pudieran identificarse con un hombre o con una mujer. Aunque contigo puede identificarse cualquiera, claro —añadió rápidamente—. Pero, a esa edad, a los niños les gusta tener una figura masculina a la que admirar.

—¿Cómo sabes el nombre de la maestra? —preguntó Erin, y suspiró, consciente de que su madre iba a seguir andándose por las ramas.

Habían estado siempre muy unidas y sabía que para su madre tenía que ser el doble de difícil separarse de ella y dejarla vivir su vida. Y aunque lo entendía, también estaba decidida a preservar su independencia.

—O tienes una bola de cristal —dijo, fijando una mirada penetrante en Eleanor— o una espía.

Eleanor dejó cuidadosamente la figurilla sobre la mesa y le dio unas palmaditas en la cabeza.

—Ya te lo he dicho, cielo: soy madre. Sé de estas cosas.

—Ya —dijo Erin.

Su madre volvió de inmediato a la pregunta anterior.

—Bueno, ¿a qué se dedicaba ese hombre con el que has dado la charla?

Erin volvió a acercar la silla a la mesa y se puso a teclear otra vez.

—Es abogado.

El rostro de su madre se iluminó por completo.

—¿Y quieres inmortalizarlo en un dinosaurio? Debe de haberte impresionado mucho —exclamó entusiasmada—. ¿Qué aspecto tiene?

Erin cerró los ojos y suspiró.

—No quiero inmortalizarlo. Era solo una idea para otro juguete, nada más.

Esta vez fue Eleanor quien dijo «ya» como si no creyera lo que estaba oyendo.

—¿Qué aspecto tiene? —repitió.

Erin empezó a encogerse de hombros, pero enseguida se dio cuenta de que su madre se lo tomaría como una señal de nerviosismo, y se levantó.

—La verdad es que no me he fijado. Era alto, tenía el pelo oscuro y los ojos muy verdes, y unos treinta y tres o treinta y cuatro años.

Eleanor inclinó la cabeza sin molestarse en disimular su ancha sonrisa.

—No está mal, para no haberte fijado.

—Tengo buena vista para los detalles. Demándame si quieres por ello.

—Ahora hablas como una abogada —repuso su madre con una mirada chispeante.

—¡Mamá, no tienes remedio! —gritó Erin, casi enfadada.

Eleanor dio gracias a Maizie para sus adentros y procuró no parecer demasiado ansiosa cuando preguntó:

—Entonces, ¿cuándo vas a volver a verlo?

—¿Qué quieres decir con «volver a verlo»? —Erin dejó de fingir que tecleaba. La pregunta de su madre sugería que sabía que se había tomado un café con él—. ¿Cómo lo sabes? —preguntó con desconfianza.

Eleanor pareció intrigada al instante.

—¿Cómo sé qué? —su entusiasmo crecía por momentos—. ¿Ya te has visto con él?

Erin se dio cuenta a destiempo de que no se refería al café.

—Bueno, sí, en la clase, claro —contestó, intentando dar marcha atrás. Pero, al ver la expresión de su madre, comprendió que era ya demasiado tarde.

—No te referías a eso y lo sabes perfectamente. Erin Sinead O'Brien, soy tu madre, no intentes dármela con queso: sé cuándo no me estás diciendo la verdad.

No tenía sentido intentar negarlo. Además, era algo inofensivo, ¿no? No iba a volver a ver a Steve. Aun así, cerró los ojos y suspiró.

—Solo hemos ido a tomar un café después de la charla en el colegio. Y, por favor, no saques las cosas de quicio, mamá.

—Erin, hace tres años que no sales con un hombre, desde que fundaste esta empresa. Deja que disfrute de esta migaja aunque sea solo un momento.

Erin no quería que su madre echara las campanas al vuelo. Aquello no iba a llevar a ninguna parte.

—No hay nada de lo que disfrutar, mamá. Es un hombre muy agradable que dijo que tenía un rato libre y me invitó a tomar un café. Cuando mencionó una pastelería francesa, me dije «¿por qué no?». Nada más. Le estás dando demasiada importancia.

Eleanor pareció no oírla.

—¿Cómo se llama? —preguntó.

—¿Para qué? ¿Para que puedas empezar a mandar las invitaciones de boda? —replicó Erin.

—Para que sepa cómo referirme a él —puntualizó su madre, y sonrió—. Aunque tu idea tampoco está mal.

Erin se sintió como si tuviera un pie enganchado en un caballo al galope. Tenía que encontrar un modo de parar a su madre antes de que alguien saliera malparado... o acabara pisoteado, pensó con sarcasmo.

—No hace falta que te refieras a él de ningún modo, mamá —rechinó los dientes y repitió—: Solo es un hombre muy agradable que se ha visto obligado a dar una charla en la clase de su hijo, igual que yo.

—Entonces, tiene un hijo —dijo Eleanor.

Erin se dio cuenta de su descuido demasiado tarde.

—Brillante deducción, mamá. Ahora, por favor, ¿quieres dejar de hacer de detective? —le suplicó—. Tengo que preparar una presentación.

—¿Vas a dar otra charla en un colegio? —preguntó su madre, esperanzada.

—Una presentación para una cadena de tiendas de juguetes —tal vez, si le decía lo importante que era aquello, su madre dejaría de intentar emparejarla con el padre de Jason—. Mamá, esto es muy, muy importante para mí. Es para lo que he estado trabajando estos tres últimos años. Si a la cadena de tiendas le gustan nuestros juguetes, podría significar el éxito definitivo... o el fracaso.

Eleanor se levantó de su asiento y sonrió cariñosamente a su hija. Se habría sentido orgullosa de ella hiciera lo que hiciera, o tuviera éxito o no. El hecho mismo de que estuviera allí era para ella un milagro que nunca daba por descontado. Quería que Erin sintiera algún día lo que ella estaba sintiendo en ese momento: el amor abrumador por un hijo.

—El éxito profesional es estupendo, Erin, pero no te da calor por las noches.

Erin le dedicó una sonrisa amplia y cargada de paciencia.

—Sí, si te permite comprar una manta eléctrica.

Eleanor se rio.

—Está bien, me rindo... por ahora —añadió, y preguntó—: ¿Cenamos la semana que viene?

—Claro. La semana que viene. Hasta entonces, mamá.

Eleanor rodeó la mesa y le dio un beso en la frente.

—No te mates a trabajar, cariño. Recuerda: me perteneces... hasta que te cases.

—Es un argumento muy persuasivo a favor del matrimonio —replicó Erin antes de ponerse a teclear—. Adiós, mamá —levantó la mirada una última vez—. Siento lo de anoche.

—Ya me compensarás —contestó su madre astutamente.

Un instante después, Erin levantó la mirada, sorprendida por su tono, pero su madre ya se había marchado. Se encogió de hombros. Quizá solo fueran imaginaciones suyas. En todo caso, no tenía tiempo para pararse a pensar en ello. Tenía que rematar la presentación, y eso era lo único que importaba.

Hasta el día siguiente, después de que Rhonda, Mike y ella hablaran ante los representantes de The Toy Factory ayudados por Gipsy, Erin no empezó, por fin, a relajarse. Los delegados de la empresa habían quedado bastante impresionados y habían dicho que hablarían con la junta directiva, pero que confiaban en que pudieran llegar a un acuerdo.

Estaba teniendo lugar una pequeña celebración cuando se acordó de la promesa que había hecho el día anterior. No a su madre, sino al hombre del que su madre había intentado con tanto empeño que le hablara. Le había prometido a Steve Kendall un Tex para su hijo, y ella nunca faltaba a su palabra. Al menos no intencionadamente, se dijo pensando en la cena en casa de su madre a la que había olvidado asistir.

¿Y si Steve le había dicho a su hijo que el peluche llegaría por correo? Si lo hubiera mandado el día anterior, el niño lo estaría esperando ese día. Aunque lo enviara por mensajero, era imposible que llegara a tiempo. De pronto vio a aquel niño delgado y rubio delante del buzón, viendo al cartero meter solo cartas en él antes de alejarse. Había veces en que lamentaba tener tanta imaginación.

Tomó una decisión.

Miró a las personas reunidas a su alrededor en la gran sala que les servía para crear y diseñar los juguetes que se vendían bajo la marca Imagina. Había seis, sin contarla a ella: Gypsy, su ayudante y su mano derecha, Rhonda y Mike, que se encargaban de la parte creativa junto con ella, y Judith, Neal y Christian, que se ocupaban de convertir sus diseños en juguetes tridimensionales. Se habían convertido en parte de su familia, tanto como su madre.

—Chicos, tengo que irme —anunció.

—Pero eres la invitada de honor, no puedes marcharte —protestó Christian.

—Habrá que parar la fiesta —Gypsy hizo un mohín.

—No, nada de eso. Habéis trabajado todos muy duro —les dijo Erin—. Seguid sin mí. Yo tengo que cumplir una promesa.

—Ya, cenar con tu madre —dijo Mike—. Más vale que te vayas. Ya la has dejado plantada una vez esta semana.

Erin se quedó mirándolo, perpleja.

—¿Es que todo el mundo sabe cada detalle de mi vida? —preguntó.

—¿De qué vida, tesoro? —bromeó Christian—. Vives aquí, ¿recuerdas? Con nosotros. Solo tendríamos que quedarnos un par de horas más y seríamos como ese programa de la tele en el que un montón de gente vive junta una temporada.

—Salvo porque nosotros tenemos más clase y no nos desquiciamos los nervios los unos a los otros —comentó Gypsy alegremente.

—Habla por ti —repuso Mike, muy serio—. Yo os vendería a todos en un periquete a cambio de unas entradas de palco para un partido de los Dodgers.

—Está bromeando —dijo Gypsy con una risa nerviosa—. ¿Verdad? —le preguntó a Erin.

A pesar de lo mucho que sabía de ordenadores, Gypsy era a veces tan inocente como una niña pequeña.

—Sí, está bromeando, ¿verdad, Mike? —dijo Erin con mucha intención.

Delgado como un espagueti y de pelo moreno, Mike le hizo un saludo militar.

—Lo que usted diga, mi coronel.

—Quizá deberíamos trabajar menos horas —concluyó Erin.

—De tus labios sale música celestial para mis oídos, jefa —convino Mike.

Erin se limitó a menear la mano por encima de la cabeza para indicarle que le había oído. Pero siguió caminando hacia la puerta, consciente de que, si se paraba un momento más, era posible que no saliera de allí.

Y había un niño esperando un dinosaurio.

Capítulo 6

APARCÓ junto a la acera, apagó el motor y respiró hondo para darse ánimos. No solía hacer aquello, pero en los últimos días se había salido muy a menudo de su rutina habitual. Primero, hablando para una clase llena de niños, luego, negociando un contrato con una cadena juguetera y, ahora, yendo a entregar un paquete en mano. Pero, si no lo hacía, estaría incumpliendo la promesa que le había hecho a un niño, aunque hubiera sido a través de su padre.

«Vale, hazlo y márchate».

Salió de su Civic blanco y se acercó al lado del copiloto.

—Vamos, campeón —le dijo al gran dinosaurio de peluche que la había acompañado a casa de Jason Kendall.

El plan era bastante simple: pondría el dinosaurio

En el umbral, llamaría al timbre y se marcharía. No hacían falta explicaciones. Jason solo tenía que ver el juguete. Su presencia resultaría superflua.

Dejó el peluche y llamó al timbre, pero cuando dio media vuelta para marcharse, el tacón de su zapato izquierdo se enganchó en una grieta del escalón de cemento. Así que, en lugar de dar media vuelta y marcharse, dio media vuelta y salió disparada hacia delante porque su zapato izquierdo se quedó trabado. Cuando se abrió la puerta, la persona que salió a abrir se la encontró agachada en el umbral. Por un momento, el alegre dinosaurio con sombrero de vaquero pasó completamente desapercibido.

—¿Erin? —dijo Steve, desconcertado.

Ella lo miró por encima del hombro. Tenía una expresión apesadumbrada.

—Perdona, iba a dejar a Tex y a marcharme, pero por lo visto el peldaño de tu puerta tenía otros planes —le dijo—. Creo que quiere quedarse con mi zapato de recuerdo.

—¿Te has hecho daño? —fue lo primero que preguntó.

—No, tengo unos tobillos muy resistentes —contestó con sorna, deseando poder desaparecer.

—Espera —se apresuró a decir Steve—. Deja que te ayude.

La tomó de las manos y la ayudó a levantarse. Por un segundo cobró conciencia de que sus cuerpos estaban muy juntos. Entre sus cuerpos no habría cabido ni una galleta de barquillo con sabor a vainilla, y Steve sintió agitarse de pronto en su interior un montón de emociones que creía muertas y enterradas.

Obligándose a concentrarse en el problema de Erin

y no en el suyo, miró su pie prisionero. El zapato seguía sin moverse, así que se agachó para ver qué podía hacer. La agarró del tobillo e intentó liberarla de la grieta tirando suavemente de él.

Demasiado tarde, levantó la vista y preguntó:

—No te importa, ¿verdad?

—Bueno, no suelo dejar que un hombre me toque el tobillo hasta la tercera cita, pero, dadas las circunstancias, haz lo que tengas que hacer —contestó ella. Al ver su cara de perplejidad, se encogió de hombros y añadió—: Perdona, tiendo a hacer bromas cuando estoy incómoda.

—¿Física o emocionalmente?

—Ambas cosas —se sentía cada vez más avergonzada—. Quizá si me quito el zapato... —como los zapatos se ataban por delante, se agachó para desatar los cordones, pero Steve se le adelantó y desató el lazo de arriba.

—Ya lo hago yo —dijo, y entonces se dio cuenta de que tal vez a ella no le apeteciera—. A no ser que tengas alguna objeción.

—¿Por qué? Es un zapato, no un vestido. Además, siempre he querido saber qué se siente siendo Cenicienta al revés —vio un signo de interrogación en sus ojos—. Ya sabes, en lugar de probarme el zapatito de cristal, que me lo quiten —exhaló un suspiro, azorada—. Quizá debería callarme. Hablar no siempre es mi fuerte.

Steve se rio, meneando la cabeza.

—Cualquiera lo diría —dijo. Acabó de desatar los cordones—. Bueno, ya he liberado tu pie de la esclavitud.

Erin se apresuró a sacar el pie del zapato atrapado.

De pie en el umbral, con un pie descalzo y el otro subido aún sobre un tacón de ocho centímetros, vio a Steve mover su zapato adelante y atrás hasta que consiguió sacarlo intacto de la grieta.

—Ya está —dijo al incorporarse y devolverle el zapato—. Como nuevo.

Erin se sujetó a su hombro y se puso el zapato.

—Lástima que no pueda decirse lo mismo de mi orgullo.

—Espera —dijo Steve al ver que se disponía a marcharse. Se agachó otra vez y empezó a atarle los cordones—. No querrás pisarte los cordones. Pero ¿por qué? ¿Qué le pasa a tu orgullo?

—No era precisamente el colmo de la gracilidad y la elegancia cuando has abierto la puerta.

Steve acabó de atarle el cordón y se irguió.

—¿No? No lo he notado —contestó, muy serio—. Bueno, ahora que ya no eres una damisela en apuros, ¿por qué no pasas unos minutos? —señaló con la cabeza hacia el interior de la casa.

Pero Erin solo quería marcharse de allí lo antes posible.

—No, no pasa nada. No quiero molestar... —cuando comenzó a alejarse, Steve la agarró por la muñeca con delicadeza.

—Solo estamos Jason y yo... y no nos molestas.

—Solo quería dejarte a Tex, como había prometido —añadió ella.

—Pensaba que ibas a mandarlo por correo, no a traerlo en mano.

—Iba a mandarlo por correo —explicó ella—. Pero me lié preparando la presentación para la cadena de tienda de juguetes y se me olvidó enviarlo —reconoció.

La verdad era que a Steve le sorprendía que no se hubiera olvidado de su promesa dos minutos después de hacerla. Le impresionó que se hubiera acordado, y de pronto la miró bajo una luz muy distinta e interesante.

—¿Y has venido a traerlo en persona? —preguntó con incredulidad.

Ella se encogió de hombros automáticamente.

—Odio incumplir las promesas que les hago a los niños.

—Fue a mí a quien se lo dijiste —le recordó él—, no a Jason. Según tú, ¿cuál es la edad de corte para definir a un niño? —preguntó, divertido.

—No, no quería dar a entender que tú seas un niño —se apresuró a decir ella—. Pero he pensado que a lo mejor se lo habías dicho a Jason y que, si lo estaba esperando por correo y no llegaba, se llevaría una desilusión y...

Ahora sí que Steve estaba impresionado.

—Vaya, eres realmente única —dijo con asombro. Tomó el dinosaurio que seguía en el peldaño de la puerta y prácticamente se lo puso en las manos—. Tienes que dárselo en persona a Jason —al ver que ella dudaba, añadió—: Créeme: va a ser una de esas cosas que le impresionen cuando de mayor eche la vista atrás. Y a lo mejor hasta consigues apartarlo de ese videojuego al que no para de jugar.

—¿Has intentado que pare de jugar? —preguntó ella.

¿Tan inútil le creía?

—Claro que sí.

—¿Y? —preguntó con voz débil.

—Y se comporta como si le estuviera arrancando

el corazón, literalmente. Se pone a llorar, no con chillidos y pataletas, sino con unos sollozos silenciosos que le parten a uno el corazón.

Steve suspiró. Otros padres se habrían mantenido en sus trece. Pero él no era otros padres. Era el padre de un niño de siete años que había perdido a su madre e intentaba encontrar su lugar en el mundo.

—Siempre acabo devolviéndole el juego y diciéndole que no pasa nada. Sé que debería ser más firme, pero ha pasado por tantas cosas que no quiero que sufra más, aunque solo sea un poquito —se encogió de hombros y miró el peluche que ella tenía en brazos—. Supongo que confío en que Tex sea capaz de hacer lo que yo no puedo. Separar a Jason de su videojuego.

Erin asintió con la cabeza, conmovida. Después de aquello no podía marcharse.

—Si me lo pones así, no puedo decir que no...

Steve sonrió de oreja a oreja.

—Contaba con ello... ya que estás aquí —añadió. Le sostuvo la puerta para que entrara y la cerró tras ellos.

Erin se quedó en la entrada y miró un momento a su alrededor para orientarse. Justo delante de ella había una escalera larga y sinuosa. A su derecha había un salón y, a la izquierda, lo que parecía ser un cuarto de estar. De pronto oyó un ruido de cosas rompiéndose y cayendo.

Miró a Steve buscando una explicación.

—Es la última remesa de marcianos que han muerto a manos de Jason. Se le da de maravilla cargarse a alienígenas de color gris. El universo está a salvo un día más.

—Ya veo. Entonces creo que puedo comprar unos plátanos verdes. Habrá tiempo de que maduren —explicó, lanzándole una sonrisa que Steve encontró casi electrizante.

—Eh, amigo, aquí hay alguien que quiere verte —le dijo a su hijo cuando entraron en el cuarto de estar.

Jason estaba, como siempre, tendido en el suelo, boca abajo, concentrado en la pantalla, tan absorto en el videojuego que se limitó a emitir un gruñido para dar a entender que había oído a su padre. Saltaba a la vista que no había escuchado una sola palabra, solo el zumbido familiar de la voz de su padre.

Steve estaba a punto de decirle que apagara el videojuego. Erin lo notó por su lenguaje corporal. Pero le puso una mano sobre la muñeca para impedir que dijera nada más o le diera un ultimátum al niño. Un momento después, se dejó oír la voz de Tex el tiranosaurio:

—¿Qué haces, Jason?

Jason dio un respingo, asombrado, se incorporó rápidamente y se olvidó por un instante de los marcianos. Sus ojos se agrandaron como platos al comprobar que sus sospechas eran ciertas: Tex estaba en su casa, en brazos de la señora que el día anterior había estado en su clase, con su padre.

—Eres la señora del dinosaurio Tex —exclamó, incrédulo.

Erin sonrió mirando a Steve.

—Me gradué magna cum laude, y ahora soy «la señora del dinosaurio Tex» —dijo meneando la cabeza.

Pero Steve notó por su expresión que le encantaba que la llamaran así.

—En efecto, soy yo —contestó ella—. Me he pasado por aquí para traerte a Tex júnior —señaló el peluche que sostenía.

—¿Hay un Tex júnior? —preguntó Jason asombrado.

—Pues sí, y ha venido a hacerte compañía —le entregó el juguete.

Jason lo aceptó, dubitativo.

—Creía que ibas a regalarme a Tex.

—Jason —le regañó Steve, avergonzado—, eso no es lo que se dice.

—No pasa nada —le aseguró Erin, y se volvió hacia el chico—. Me temo que no puedo dártelo —dijo con solemnidad—. Tex el tiranosaurio es mi mejor amigo. Y no querrás que regale a mi mejor amigo, ¿verdad, Jason? —preguntó.

Jason se quedó callado un momento como si sopesara cuidadosamente la cuestión. Luego exhaló un gran suspiro y dijo con una nota de resignación:

—No, supongo que no —miró el peluche que tenía entre los brazos—. Pero ¿a Tex júnior sí puedes regalarlo? —preguntó.

Era un chico listo, pensó ella.

—Ojo, no a cualquiera —contestó tan seria como si estuviera hablando con un adulto—. Tiene que ser a alguien especial. Alguien que prometa no dejarlo solo para que no empiece a echar de menos a su papá —fingió observar un momento a Jason como si valorara si estaba a la altura de aquella responsabilidad—. ¿Crees que tú podrás hacerlo? —preguntó.

Jason asintió con la cabeza.

—Eso significa que tienes que estar ahí, a su lado, siempre que te necesite —al ver que el chico asentía otra vez, se llevó la mano a la oreja y fingió aguzar el oído—. No te oigo —dijo enérgicamente.

—¡Sí que puedo! —declaró Jason con entusiasmo.

Erin asintió como si por fin hubiera logrado convencerla.

—Está bien, entonces Tex júnior es todo tuyo. Recuerda quererlo siempre y estar cuando te necesite.

—Lo recordaré —miró el mullido peluche—. Hola, soy Jason, tu nuevo amigo —le dijo—. ¿Qué quieres hacer primero? —al ver que el juguete no contestaba, miró a Erin, confuso—. ¿Cómo es que no habla? —preguntó.

—Bueno, es que eso depende de ti y de tu imaginación —respondió ella.

—¿De mí? —preguntó perplejo—. ¿Por qué?

—Eres tú quien tiene que poner palabras en su boca. Igual que soy yo la que pone palabras en la boca de Tex el mayor.

Aquello pareció confundir aún más a Jason. Steve sintió el impulso de intervenir, pero tenía curiosidad: quería ver cómo resolvía Erin la situación.

—¿Eres tú quien hace hablar a Tex? —preguntó Jason maravillado.

Ella asintió.

—Así es.

Convencido de que estaba bromeando, el chico dijo:

—No, qué va. Te lo estás inventando. Tex no tiene tu voz, y tu boca no se mueve cuando habla.

—Eso es porque es ventrílocua —le explicó Steve, acudiendo en rescate de Erin.

—¿Ventriqué? —preguntó el niño.

—Ventrílocua —repitió Erin, y explicó—: Alguien que sabe proyectar su voz.

Jason pareció más desconcertado que nunca.

—No lo entiendo. ¿Proyectar la voz? —preguntó, y luego pareció animarse—. ¿Como proyectar una película?

—Algo así —contestó ella—. Es como si lanzas una pelota invisible y la haces aterrizar justo delante de quien quieres que hable.

Jason arrugó el ceño.

—Demuéstramelo —dijo—. Haz que diga mi nombre con la voz de Tex el grande.

Bueno, por lo menos aquello era bastante fácil, pensó Erin.

—Hola, soy Tex el grande, Jason —dijo su nuevo peluche—. Y estoy demasiado mayor para estos jueguecitos. A mí me gustan los juegos chulos, como saltar de aviones en vuelo y cosas así —frunció el ceño y miró al dinosaurio con enfado. Soltó un soplido y preguntó en tono severo—: Tex, ¿qué te he dicho yo?

El peluche agachó de pronto la cabeza.

—Que no me ponga fanfarrón —el dinosaurio volvió a levantar la cabeza—. Pero no estaba fanfarroneando. Es la verdad.

—Tex... —resopló ella.

Se oyó un fuerte suspiro.

—Está bien, está bien, no es verdad. Pero ¿es que no puede divertirse uno? ¿Eh? ¿No puede?

Erin arqueó una ceja al mirar al peluche.

—En mi opinión, te estás divirtiendo demasiado, Tex.

—¡Ja! —el dinosaurio levantó su barbillita verde—. Demasiada diversión... Eso no existe, ¿verdad que no, Jason? —preguntó volviéndose hacia el niño—. Vamos, chico, apóyame un poco.

Jason se rio alegremente.

—¡Claro que no! —declaró con entusiasmo.

—Bueno, ¿ves ya cómo se hace? —preguntó Erin al devolverle el peluche.

Jason inclinó la cabeza, dándole la razón.

—Pero yo no puedo hacerlo igual que tú. Muevo los labios cuando hablo —protestó.

—No importa. Eso no tiene nada de malo —le aseguró Erin—. Lo que cuenta es que oigas a Tex júnior decir lo que imaginas. Verás, lo importante es utilizar tu imaginación, Jason —afirmó con énfasis, y le tocó ligeramente la frente con el dedo índice.

—¿Aquí es donde está mi imaginación? —preguntó Jason, tocándose la frente—. ¿Justo aquí? ¿Dentro de mi cabeza?

—Justo ahí —afirmó ella—. En tu mente. Lo único que tienes que hacer es dejarla funcionar —se inclinó y le susurró a oído—: Piénsalo y se hará realidad —se apartó para ver si sus palabras habían causado la impresión justa.

Los ojos del niño relucían como si acabara de revelarle el secreto de la vida.

—¿En serio? —preguntó en voz baja, casi con reverencia.

—En serio —repitió ella muy seria.

—Alá —Jason sonrió de oreja a oreja y abrazó a su nuevo juguete. Luego le dijo a Erin con la voz sofocada por el grueso y mullido tejido verde—: ¡Gracias!

—De nada, Jason —respondió ella—. Ha sido un placer.

Vio por el rabillo del ojo que Steve le sonreía, agradecido, y sintió que algo muy cálido y envolvente se agitaba dentro de su ser.

Capítulo 7

STEVE observaba a su hijo desde el otro lado de la habitación, con los brazos cruzados, como si esa postura pudiera ayudarlo de algún modo a asimilar lo que acababa de suceder.

Cuando Erin fue a reunirse con él, le dijo bajando la voz:

—¿Sabes?, esto es realmente asombroso.

Erin no estaba segura de entenderle.

—¿El qué? —preguntó también en voz baja.

Steve no contestó enseguida. Por un instante fugaz, se sintió como si estuvieran compartiendo un secreto íntimo. Al momento siguiente ahuyentó aquella idea.

—Creo que acabo de presenciar mi primer milagro —le dijo—. Creía que nada, aparte del colegio y de la hora de irse a la cama, podía separar a Jason de ese videojuego infernal —sacudió la cabeza al mirar la pantalla congelada—. Lleva jugando casi dieciocho meses seguidos. Empezaba a oír a esos alienígenas hasta en sueños.

Erin vio que estaba aliviado, pero no quería que se hiciera ilusiones ni que pensara que el interés de Jason por el videojuego se había evaporado de repente. Porque tal vez no fuera así.

—Bueno, no es exactamente una solución mágica —le advirtió—, pero es un buen comienzo.

No cabía duda de que Erin era mucho menos egocéntrica que las mujeres con las que había salido esos últimos meses. Y, a su modo de ver, eso la hacía más auténtica.

—No seas tan modesta —le dijo—. Quiero que sepas que hoy Tex y tú habéis salvado no una vida, sino dos.

—¿Dos? —preguntó ella, desconcertada.

—Sí, la de mi hijo... y mi cordura. O sea, también la mía. La verdad es que no sabía cuánto tiempo más iba a poder soportarlo —reconoció—. Jason antes era un niño feliz y extrovertido, pero cuando murió Julia... y, sobre todo, desde que empezó a jugar a ese videojuego, se encerró completamente en su mundo.

Ella observó al chico, que seguía jugando con el dinosaurio. Tex había estimulado la imaginación del niño. Era una señal muy esperanzadora.

—Como te decía, es un comienzo. No soy una experta... —añadió, eligiendo sus palabras con cuidado, pero Steve la interrumpió:

—En mi opinión sí lo eres. Has logrado más en un rato que yo o que la señora Malone, su canguro, en el último año y medio.

—No soy una experta —comenzó ella de nuevo—, pero estoy segura de que sufrirá más regresiones, así que prepárate. Eso no significa que vaya a volver a engancharse a ese videojuego y a cerrarse a todo lo que lo rodea. Significa que intentará descubrir cuál es su lugar en este mundo en el que ya no puede ver a su madre. Es un camino arduo, pero tengo la sensación de que todo acabará bien.

Steve pareció sinceramente impresionado por sus palabras.

—Dime una cosa: ¿estudiaste psicología infantil, además de diseño de juguetes? —preguntó.

—No, hace unos cuantos años yo también fui una niña —le dijo alegremente—. Y por suerte tengo muy buena memoria. Me acuerdo de muchas de las cosas que sentía entonces como si hubieran sucedido ayer —hizo una pausa y le dedicó una sonrisa tímida—. Lo que significa también que se me daría fatal enseñar disciplina a un niño porque me acordaría de cómo me sentía cuando estaba en su lugar y enseguida se lo perdonaría todo.

Steve leyó entre líneas.

—Entonces, ¿no tienes hijos?

Negó con la cabeza.

—No, me temo que no he tenido esa suerte.

Steve supuso que era un error seguir indagando, pero algo que no era simple curiosidad lo impulsó a decir:

—Pero has estado casada.

Erin volvió a negar con la cabeza.

—Tampoco. Pasé más de dos años en el hospital y cuando un día los médicos dictaminaron que estaba curada, me moría de ganas de vivir de verdad y hacer cosas. Tuve siempre la sensación de que me había quedado rezagada e intentaba desesperadamente ponerme al día de todo lo que me había perdido, hacer que mi vida sirviera para algo.

Se sonrojó un poco. Sentía que tal vez estaba hablando demasiado, pero al mismo tiempo quería que aquel hombre entendiera de dónde venía, cómo había sido.

—Sentía que debía demostrarle a Dios que había hecho bien al salvarme. Y supongo que lo que pasó fue que estaba tan atareada intentando hacer algo, dejar mi huella, que me olvidé de prestar atención a una parte importante de mi vida... o eso dice mi madre continuamente —concluyó con una sonrisa.

—Déjame adivinar. Está empeñada en que sientes la cabeza, te cases y fundes una familia.

Ella se rio.

—Exacto. ¿Es que la conoces? —preguntó, solo medio en broma.

—No, pero yo también tengo madre —explicó él—. La mía se puso como loca de contenta cuando nació Jason, y la verdad es que sufrió casi tanto como yo cuando murió Julia —entonces se acordó de que tal vez no le había dicho el nombre de su esposa—. Julia era mi...

—Tu mujer —dijo ella—. Sí, ya me di cuenta ayer. Entonces, ¿tu madre ha empezado a insinuarte que deberías volver a casarte? —preguntó, convencida de que ya sabía la respuesta.

Steve se rio.

—Mi madre desconoce el verbo «insinuar». Y desde luego no se anda por las ramas —añadió—. Se entusiasmó cuando le dije que estaba pensando en volver a salir con mujeres —pensándolo bien, había sido su madre quien lo había convencido de ello.

—Entonces, sales con mujeres —concluyó Erin.

—No —puntualizó él—. Salía.

Si un hombre dejaba de salir con mujeres era por dos motivos: o bien aquel empeño le parecía frustrante, o bien encontraba a alguna con la que iba en serio.

—¿Por qué lo dices en pasado? —inquirió, intuyendo que Steve quería que le diera un empujoncito para contarle el resto de la historia.

Él se encogió de hombros.

—Descubrí que no era lo mío. No me siento cómodo con todo ese ritual, siempre teniendo que impresionar a alguien —confesó—. Además, me di cuenta de que a las mujeres con las que salía no les interesaba tener una relación duradera con un hombre con un hijo.

Sabía que tenía que haber alguna mujer que estuviera dispuesta a aceptarles a él y a Jason a la vez, pero de momento había decidido tomarse un descanso antes de volver a intentarlo. Un descanso muy largo.

Ella siguió mirándolo con expresión inquisitiva.

—¿Ah, sí?

Él se limitó a asentir con la cabeza.

—Sí.

—¿Y por qué crees que es? —preguntó ella con curiosidad.

—Bueno, para empezar, las más inteligentes se daban cuenta de que, como yo tenía un hijo, ellas no iban a ser siempre lo primero. Para serte franco, no me importa decir que mi hijo es mi prioridad absoluta.

—Como debe ser —convino ella.

Su comentario hizo detenerse a Steve un segundo, sorprendido e impresionado por su respuesta.

—Los dos hemos pasado por muchas cosas —agregó—, pero, para él, el impacto ha sido aún mayor porque ha perdido a su madre. Creo que, en algún lugar de su cabecita, teme que pueda pasarme algo y quedarse completamente solo. Está mi madre, claro, pero no está tan unido a ella como a Julia o a mí, o al menos como solía estarlo —la miró—. Con un poco de suerte, gracias a ti y a tu dinosaurio, voy a poder recuperar a mi hijo.

—Siempre ha sido tuyo, Steve. Solo se ha tomado un breve paréntesis —le dijo ella juiciosamente—. Pero, ¿sabes?, tú también tienes que anticiparte.

—¿Qué quieres decir?

—Bueno, ahora mismo estáis sólo tú y él contra el mundo, y eso es muy bonito. Pero algún día, pongamos dentro de ocho o nueve años, va a querer salir de ese universo cerrado que habéis creado para explorar su universo propio, y tal vez tomarle la medida. Puede incluso que se sienta culpable por dejarte atrás, pero es muy probable que se marche. Y entonces tú estarás todavía en ese universo para dos que tienes ahora, con la diferencia de que sólo estarás tú.

La miró, sorprendido por lo que acababa de decir.

—Espera, ¿me estás diciendo que salga con mujeres?

Ella levantó la mano para atajarlo.

—No estoy defendiéndolo, ni convirtiéndolo en tabú —le dijo—. Solo digo que deberías sopesar cuidadosamente todas las posibilidades antes de descartarlas —se dio cuenta de que parecía estar echándole un sermón y añadió—. Pero, en fin, qué sé yo. Soy una adulta que habla con dinosaurios de peluche y que se responde a sí misma con una vocecilla aguda.

Quizá fuera hora de que se marchara, antes de que

dijera alguna tontería más. Seguramente Steve pensaba que era un poco rara, como poco, se dijo. Avergonzada, sintió que lo mejor era marcharse cuanto antes.

—Mira —comenzó a decir, azorada—, ya te he entretenido demasiado. Será mejor que te deje recuperar tu noche y a tu hijo.

—Esta es mi noche —señaló Steve—. Hasta que has llegado con Tex júnior, pensaba pedir una pizza y luego mirar cómo Jason mataba marcianos y salvaba al mundo por enésima vez. A mi modo de ver —añadió—, has traído la paz a mi vida y al menos te debo una cena.

—¿Una pizza? —preguntó ella, escéptica.

—Bueno, no tiene por qué ser pizza —puntualizó él, ilusionado por la idea de que se quedara un poco más—. En esta zona hay un montón de restaurantes que reparten a domicilio. Solo tienes que decir qué te apetece —le hizo señas para que lo acompañara a la cocina.

Una vez allí, abrió su «cajón desastre» y comenzó a sacar folletos de restaurantes.

—Comida tailandesa, china, mexicana, india... Elijas lo que elijas, seguro que lo tengo.

Erin lo miró divertida.

—¿Y algo hecho en casa? —preguntó.

—Hecho en casa —repitió él, mirando los folletos—. Sí, sería el Marie Callender —concluyó, y abrió otro cajón—. Tengo el folleto por aquí, en alguna parte —añadió mientras rebuscaba.

—No, me refiero a comida hecha de verdad en casa. En tu casa —dijo con énfasis.

Desde luego, tenía una cocina muy adecuada para ello, pensó al mirar a su alrededor. Parecía el último grito en cocina gourmet, desde las relucientes cazuelas que colgaban de ganchos del techo a la placa de seis elementos, pasando por sus anchas encimeras.

Steve se rio y sacudió la cabeza.

—No, tuve que jurar solemnemente que jamás intentaría hacer nada que incluyera sartenes, ollas y fuego.

—¿A quién tuviste que jurárselo? —preguntó ella entre curiosa y divertida.

—Al cuerpo de bomberos y al personal de urgencias del hospital local —contestó él muy serio.

—Tan mal se te da, ¿eh? —Erin intentó no reírse.

No tenía sentido negarlo.

—La verdad es que creo que no se ha inventado la palabra que pueda describir con exactitud lo mal que han salido mis tentativas culinarias. Es realmente un asunto muy turbio. Mejor dejarlo correr —le aseguró.

—¿Y esa prohibición es extensiva a cualquiera que entre en tu casa?

—Bueno, hace un par de viernes, Cecilia nos hizo la cena a Jason y a mí —contestó él.

—Cecilia —repitió Erin, intentando no parecer decepcionada—. La chica con la que sales.

Steve sonrió de oreja a oreja.

—Cecilia es la propietaria de la empresa de limpieza que mantiene mi casa en perfecto estado de revista, como ves. Tampoco se me da muy bien limpiar —confesó—. Es una mujer maravillosa, estupenda, pero tiene más o menos la edad de mi madre. No creo que le interese salir con alguien de mi edad.

Erin sintió una oleada de alivio e intentó que no se le notara. Se estaba ofreciendo a cocinar para Steve. Un ofrecimiento completamente inofensivo.

No significaba nada, se dijo.

—¿Te importa que eche un vistazo a la nevera? —preguntó.

—No hay mucho que ver —le advirtió, dándole permiso con un ademán.

Erin hizo rápidamente inventario.

—Huevos, leche, margarina —dijo. Luego abrió la puerta del congelador—. Menestra de verduras —lo miró por encima del hombro—. No está tan vacío como pensaba.

Steve se encogió de hombros con indiferencia.

—Bueno, en caso de emergencia, si nos quedamos atrapados por la nieve, por ejemplo, puedo hacer unos huevos revueltos.

A Erin le costó no sonreír.

—Estamos en el sur de California. Aquí solo nieva en el pico más alto de la sierra, en pleno invierno, y hay que subir hasta allá arriba para ver la nieve.

—Precisamente. Hace muchísimo tiempo que no tengo que cascar un huevo.

Ella frunció el ceño mientras echaba otra mirada al cartón de huevos que había en la nevera. No detectó ningún olor a podrido, pero, claro, aún no lo había abierto.

—¿Cuánto tiempo exactamente tienen estos huevos? —preguntó.

—Sé lo que estás pensando —respondió él—. No te preocupes: Cecilia le dijo a una de sus señoras de la limpieza que trajera esos huevos la semana pasada. Según ella, debo tener en la nevera huevos y el resto de las cosas que ves, solo por si acaso. Ah, y la leche, por cierto, es fresca. Jason la toma con cereales. Abrir una caja de cereales sí sé.

Erin sonrió.

—Eso está muy, pero que muy bien —dijo en broma. Miró las cosas con las que contaba y tomó una decisión—: Muy bien, ¿dónde guardas las sartenes? ¿O te las confiscaron los bomberos como medida de precaución?

Steve abrió un armario, sacó una sartén y la puso sobre la placa.

—No, pero prometí no usarlas y se conformaron con mi palabra —contestó muy serio.

—Bien, pues ahora no vas a incumplirla: voy a cocinar yo.

Una cosa que Steve había aprendido durante su breve incursión en el mundo del ligoteo era que la mayoría de las mujeres que desempeñaban una carrera profesional no tenían tiempo ni ganas de aprender a cocinar.

Había dado por sentado que Erin era igual que las demás en ese aspecto.

—¿No acabas de decir que estabas muy ocupada intentando ponerte al día de todo lo que te habías perdido mientras estabas en el hospital?

—Sí, y cocinar fue una de esas cosas —se rio—. Una persona creativa necesita más de un cauce para dar salida a su creatividad y sentirse realizada. A mí se me ocurren algunas de mis mejores ideas mientras estoy cocinando. Cocinar me relaja —explicó.

—Tiene gracia, porque en mí surte el efecto contrario.

—Está claro que tu fuerte es otro —contestó ella.

Steve agradeció que intentara salvar su orgullo. La observó mientras se movía por la cocina como un torbellino, sacando ingredientes de su despensa y sus armarios. Lo reunió todo sobre la encimera, al alcance de la mano, y se puso a hacer la cena.

—Si no te importa que te lo pregunte —dijo él—, ¿qué piensas hacer exactamente?

—Una *frittata* —contestó alegremente. Mezcló ocho huevos en un cuenco grande, puso una pizca de sal y pimienta y añadió dos paquetes de menestra de verdura congelada. Habría preferido usar verduras frescas, pero tenía que conformarse con lo que había.

—¿Una qué?

En otra sartén, cortó rápidamente un poco del jamón que había encontrado en la nevera, así como un par de lonchas de queso chédar. Estaba a punto de repetir la palabra cuando se dio cuenta de que Steve la había oído: el problema era que no sabía a qué se refería.

Abrió otra vez la despensa y buscó un recipiente de hierbas aromáticas o especias. No había ninguno. Siguió adelante aun así, añadiéndolo todo al cuenco de los huevos.

—Considéralo una tortilla mejorada. Tienes pan y jamón —dijo, complacida.

—Es porque también sé preparar un sándwich sin hacer saltar la alarma de incendios —dijo Steve.

—No todo está perdido —declaró ella, riendo.

Mientras la veía desenvolverse por la cocina como si estuviera en su casa, Steve empezó a pensar lo mismo... solo que por muy distintas razones.

Capítulo 8

QUÉ es esto? —preguntó Jason entre bocado y bocado.

Estaban todos sentados en torno a la mesa del comedor; incluido Tex júnior, porque Jason había pedido que le dieran también una silla a su nuevo amigo, comiendo la creación de Erin.

—Jason, ¿qué te he dicho sobre hablar con la boca llena? —le recordó Steve.

—Que no lo haga —contestó el niño obedientemente—, pero no se me va a salir la comida. Tengo la barbilla para arriba —argumentó.

Erin no se molestó en intentar no reírse.

—Creo que Jason tiene madera de abogado —le dijo a Steve y, volviéndose al niño, contestó—: Es una *frittata*.

Notó con placer que Jason estaba comiéndose su cena con mucho apetito. Le había puesto lo que ella consideraba una ración decente para un niño de siete años. Quedaban solo unos dos bocados. Se la había zampado a toda prisa.

Igual que su padre, comprobó Erin. Pero, mientras que Steve, por educación, habría fingido que su cena improvisada le gustaba aunque no fuera así, Erin sabía que los niños solían ser mucho más sinceros en ese aspecto: si a Jason no le hubiera gustado su tortilla, lo habría dicho con toda claridad. Y en cambio la había devorado.

—¿Una *frita* qué? —preguntó Jason.

—Una *frittata* —repitió ella—. ¿Qué te parece si la llamamos una «tortilla con de todo»?

—Vale —aceptó Jason enseguida—. Me gusta —le dijo a su padre.

Erin, a la que siempre le había costado aceptar los cumplidos, se apresuró a quitarse importancia.

—Seguramente será por el jamón —le dijo a Steve.

—Tiene gracia, yo iba a decir que seguramente era por la cocinera —repuso él—. Esto está buenísimo. Te pediría la receta, pero como te decía tengo prohibido acercarme a menos de cien metros de la placa cuando está encendida, así que, aunque tuviera la receta, no podría hacerla.

Sus ojos se encontraron.

—Entonces, ¿cómo harías esos huevos revueltos de los que me hablabas en un caso de emergencia? —preguntó con aire inocente.

—Me has pillado. Tendré que devolvértela —repuso él—. Mientras tanto, puedes venir por aquí cuando quieras para hacer magia con mis fogones —miró a Jason, que estaba ocupado dando de comer a su nuevo a amigo— y los de mi hijo.

Jason lo miró. Giró la cabeza hacia Erin y de pronto la miró fijamente.

—¿Haces magia? —preguntó, pasmado.

—No, no hago magia —contestó ella—. Tu padre estaba bromeando.

Pareció desilusionado unos cinco segundos.

—Ah. Pero lo de que vuelvas no era una broma, ¿verdad? —preguntó con la mirada clavada en ella—. Vas a volver, ¿a que sí?

—¿Te gustaría, Jason? —preguntó Steve antes de que Erin tuviera oportunidad de responder.

—¡Sí! —exclamó el niño con más entusiasmo del que había demostrado durante esos dos últimos años.

Steve le sonrió al tiempo que lanzaba una mirada a la mujer a la que consideraba la única responsable de la transformación de su hijo.

—A mí también —dijo. Y luego miró a Erin—. Bueno, supongo que está decidido por unanimidad: estás invitada a venir a nuestra casa cuando quieras... incluso si no te apetece hacer una *frittata* —añadió con una sonrisa. No quería que pensara que le parecía singularmente atractiva por saber desenvolverse en la cocina.

—Y cuando vuelvas puedes traer a Tex —añadió Jason.

Erin ladeó la cabeza para mirarlo.

—Entonces, ¿quedamos en que tengo que volver?

—¡Sí! —entonces la ancha sonrisa de Jason se desdibujó un poco por las comisuras mientras se esforzaba por comprender qué había querido decir exactamente—. ¿No quieres volver?

En lugar de contestar enseguida, Erin miró a Steve

arqueando una ceja para ver qué decía él al respecto. No quería precipitarse.

—Yo opino lo mismo que él —afirmó Steve.

Quizá debía dejar las cosas un poco más claras, se dijo Erin.

—Bueno, volveré si me invitáis.

—Estás invitada. ¿Verdad que sí, papá? Está invitada —declaró Jason, mirando expectante a su padre.

—Eso depende de si ella quiere volver —le dijo él—. Pero por lo que a mí respecta, sí, está invitada. ¿Qué opinas tú, Tex júnior? ¿Quieres decirnos qué piensas de que Erin vuelva a hacernos una visita?

—¡Quiero que vuelva otra vez enseguida! —dijo Jason con una vocecilla aguda, fingiendo que hablaba el dinosaurio de peluche.

Steve dejó escapar el aire que había estado conteniendo. El experimento de Erin había sido todo un éxito: el dinosaurio había conseguido separar por fin a Jason de la videoconsola. Su hijo hasta imitaba a Erin hablando con el peluche.

Volviéndose hacia ella, dijo:

—Parece que somos tres contra una.

—¿Tres contra una? —repitió ella, mirándolos a todos—. ¿Quién ha dicho que yo no quiero volver? —preguntó—. Sobre todo teniendo en cuenta que dejáis los platos limpios.

—Puedo limpiar el mío aún mejor con la lengua —comentó Jason, emocionado. Tomó el plato con ambas manos y estaba punto de llevárselo a la boca para hacerle una demostración cuando intervino Steve, confiscándoselo.

—Creo que vamos a dejar que de eso se encargue el lavaplatos —dijo.

—Me parece muy buena idea —añadió Erin.

—Ah. Vale —dijo Jason, y le lanzó una enorme sonrisa.

—La próxima vez que venga, traeré la compra hecha —le prometió ella—. Haremos *frittata* con pollo —se inclinó hacia él y bajó la voz—: Seguro que a Tex le gusta más así.

El niño miró al dinosaurio sentado a su lado.

—¿A Tex le gusta el pollo? —preguntó.

Ella asintió con la cabeza.

—Los tiranosaurios eran carnívoros —le dijo—. O sea, que les gustaba comer carne.

—¿Sí? —preguntó Jason, pendiente de cada una de sus palabras.

Erin hizo un gesto afirmativo y lo miró con expresión solemne.

—Desde luego que sí.

—¿Tú les has visto comer? —preguntó Jason en voz baja—. ¿Te dio mucho asco?

—Seguramente daba mucho asco —contestó ella, muy seria—, aunque yo no los he visto. Pero hay un montón de paleontólogos que estudian a nuestros amigos los dinosaurios y que han escrito muchísimos libros contando cómo eran y cómo vivían.

Jason pareció desconcertado.

—¿Qué es un pa... un pa...? ¿Una de esas personas que has dicho? —dijo por fin.

—Los paleontólogos son personas que estudian cosas que sucedieron hace mucho, mucho tiempo —explicó ella.

Se acercó a donde había dejado su bolso y sacó un libro. Al abrir la puerta Steve y sorprenderla antes de que pudiera escapar, luchando por liberar su zapato, se había olvidado por completo del libro, que había escrito ella misma y que acompañaba a todos los dinosaurios de peluche que salían de fábrica.

—Ten, aquí puedes leer cómo era el tiranosaurio cuando vagaba por la Tierra y era el rey indiscutible de todo cuanto veía.

Jason, pensó Steve, tenía cara de estar de nuevo en el país de las maravillas, atento a cada palabra que salía de la boca de aquella mujer. A decir verdad, él mismo empezaba a encontrarla absolutamente fascinante.

—¿Es para mí? —preguntó su hijo al tomar el colorido libro entre las manos.

—Lo he traído para ti —afirmó Erin, satisfecha de su reacción. Había puesto en aquel libro sus fantasías infantiles, y sabía que los niños disfrutaban leyéndolo, pero de vez en cuando era una alegría para ella constatar su alegría de primera mano—. Leer sigue siendo el mejor modo de aprender y de recordar —añadió.

Jason agarró el libro con una mano y el dinosaurio con la otra y lo apretó con fuerza contra sí.

—Vamos, Tex, vamos a saber cosas de ti.

—Vale —respondió el peluche con voz aguda.

Steve se puso tan contento que, si no hubiera temido asustarla, habría abrazado a Erin.

—Eres de verdad una maga —comentó—. No hay duda. Jason lleva separado de ese videojuego infernal... —miró su reloj— cerca de una hora. Un nuevo récord mundial para él.

Erin no creía que tuviera tanto mérito.

—Muy pocos niños de su edad pueden resistirse a los dinosaurios. Lo único que he hecho ha sido presentarlos.

Steve meneó la cabeza.

—Otra vez tu modestia.

Erin comprendió que era batalla perdida: Steve estaba empeñado en atribuirle el cambio de actitud de su hijo.

—No he hecho nada especial, pero como quieras —dijo.

Steve le sonrió.

—Como te decía, eres una mujer muy rara.

Si no se andaba con cuidado, todos aquellos cumplidos iban a subírsele a la cabeza. Menos mal que sus compañeros de trabajo la mantenían con los pies bien pegados al suelo, aunque también fuera agradable dejarse adular un par de minutos.

No estaba segura, sin embargo, de a qué se refería Steve al proclamarla única entre su sexo.

—¿Por qué lo dices? —preguntó.

—Últimamente no he conocido a ninguna mujer que estuviera dispuesta a darme la razón en nada.

—La verdad es que me cuesta mucho creerlo.

Su respuesta lo pilló desprevenido.

—¿Ah, sí? ¿Por qué?

—Bueno, para empezar, eres abogado. ¿No se supone que es lo que hacen los abogados: desgastar la oposición de sus rivales hasta que les dan la razón? A no ser, claro, que hayas estado saliendo con abogadas. En ese caso, el tira y afloja podría durar literalmente horas, imagino —aquello le hizo pensar en otra cosa—. Por cierto, ¿te he dicho que estoy pensando en un nuevo personaje para mi línea de dinosaurios? Estoy pensando en llamarlo Clarence Darrow el Dinosaurio.

—¿Clarence Darrow el Dinosaurio? —preguntó él, perplejo.

El nombre acababa de ocurrírsele mientras hablaba con Steve.

—He pensado en darles a los niños una ración doble de historia esta vez, incluir una pequeña biografía de Clarence Darrow en el librito, junto con la información sobre el tipo de dinosaurio que sea el peluche —se mordisqueó el labio inferior y lo miró—. ¿Alguna sugerencia?

Steve no tenía ningún dinosaurio preferido, aunque, desde que había visto a Jason jugar con Tex, sentía cierta debilidad por los tiranosaurios.

—Me parecerá bien el que elijas... siempre y cuando no sea un velociraptor —puntualizó—. Esos me ponen los pelos de punta.

—Vale, nada de velociraptores. ¿Qué te parece un braquiosaurio? —sugirió—. No eran carnívoros —añadió al ver que él la miraba con desconcierto.

—Entonces voto por ellos —contestó Steve.

—Un braquiosaurio, entonces —dijo ella, zanjando la cuestión.

Miró hacia el cuarto de estar y vio que Jason estaba dando a su nuevo amigo una vuelta por la habitación, explicándole cosas. Había presentado al niño y al dinosaurio y les había dado de comer a él y a su padre. Su trabajo allí había acabado.

Era hora de retirarse.

—Bien, más vale que me vaya o mañana iré muy retrasada —dijo.

—Pero tú duermes, ¿verdad? —preguntó Steve. Le desilusionaba verla marchar tan pronto, pero sabía que no tenía derecho a acapararla, sobre todo después de todo lo que había hecho.

—A veces, si no voy muy retrasada.

Aunque, a decir verdad, había veces que solo dormía un par de horas. Sentía que aún había muchísimas cosas que tenía que hacer para ponerse al día. En ocasiones, los dos años que había pasado en el hospital le parecían décadas.

—Recuerda que es bueno echar el freno de vez en cuando —le dijo él—. Quemar las velas por los dos extremos al final te pasa factura.

«Dios mío, ¿habrá estado hablando con mi madre?», pensó ella. Enseguida desechó la idea: era imposible que su madre hubiera sabido que iba a ir a su casa y que lo hubiera aleccionado de antemano.

—Falta mucho para que eso pase —le aseguró.

—Bueno, tú eres quien mejor puede juzgarlo —repuso Steve—. Espera, deja que te acompañe al coche —se ofreció.

—No hace falta. Además, no querrás dejar a Jason solo.

Él miró hacia donde estaba su hijo. No estaba en su postura habitual, tumbado boca abajo, con la vista clavada en la pantalla del televisor y los ojos vidrioso, matando alienígenas. Estaba sentado en el suelo del cuarto de estar, hablando con el juguete que le había llevado Erin.

—Jason no está solo, gracias a ti —señaló Steve—. Y supongo que no has aparcado al final de la calle, así que no voy a darme una caminata.

—No —convino ella—. He aparcado justo delante de la puerta.

Steve asintió.

—Creo que Jason y Tex júnior pueden prescindir de mí dos minutos.

La acompañó a la puerta, se la abrió y esperó a que

cruzara el umbral. Después la siguió de cerca. Dejó la puerta abierta por si Jason salía a buscarlo.

—Quiero darte las gracias por haberte tomado tantas molestias con Jason. Te agradezco muchísimo el esfuerzo.

Erin sintió que empezaba a sonrojarse. Los cumplidos, aunque fueran directos y sencillos, la azoraban muchísimo. No sabía qué hacer con las manos, dónde mirar. Así pues, hizo lo que solía hacer en esas circunstancias: se encogió de hombros.

—No ha sido nada.

—No, claro que ha sido algo —insistió el abogado—. Y te debo una —como la noche se había vuelto mágica, añadió—: Pídeme un deseo.

Ella esbozó una sonrisa que hizo brillar sus ojos.

—¿Perteneces al gremio de los genios? —preguntó.

—Bueno, si tú puedes traerle un dinosaurio a mi hijo y despertar de pronto su imaginación, que yo ya daba por perdida, yo puedo hacer que al menos un deseo se haga realidad —le informó.

—¿No depende del tipo de deseo que sea?

Steve asintió.

—Sí.

—Entonces será mejor que no desee nada rocambolesco.

—Lo que para unos es rocambolesco, para otros es de lo más normal —repuso él.

Aquello se le daba mejor de lo que ella pensaba, se dijo Erin, divertida. Aquel hombre tenía potencial. Y no solo eso, sino que empezaba a sentirse atraída por él. Un montón.

—Aun así, prefiero pensar mi deseo antes de formularlo —dijo en broma.

—Tómate todo el tiempo que quieras —contestó él magnánimamente—. No tiene fecha de caducidad.

Y si seguía relacionándose con él, con ellos, se corrigió Steve, hasta que decidiera cuál sería su deseo, mejor que mejor.

Erin asintió con la cabeza.

—Me alegra saberlo.

Steve le sonrió. Luego se puso un poco serio al decir:

—Me lo he pasado realmente bien esta noche.

—Yo también —contestó ella.

Steve ignoraba por qué, ya que en realidad apenas la conocía, pero se sentía afín a ella, mucho más afín que a muchas mujeres a las que conocía mejor y desde hacía mucho más tiempo.

—La verdad es que no recuerdo la última vez que me lo pasé tan bien —añadió.

—Lo mismo digo —repuso Erin.

Él le sonrió, un poco indeciso.

—¿Lo dices solo por ser amable o...?

—O —contestó ella.

Se estaba haciendo tarde y seguía allí, parada en la acera, junto a su coche. Si no se ponía en marcha, se pasaría el resto de la noche allí, hablando de bobadas y disfrutando inmensamente.

—Bueno, más vale que me vaya antes de que mi coche se convierta en calabaza.

—Yo creía que era un carruaje lo que se convertía en calabaza.

—Me he modernizado —repuso ella, muy seria—. Pero los ratones deben de estar preocupadísimos —añadió al pulsar el botón de su llavero que desconectaba la alarma del coche.

—Pues eso no debes permitirlo —convino él—. Los ratones preocupados no rinden —después se rio. No recordaba habérselo pasado nunca tan bien diciendo tantas tonterías—. Eres verdaderamente única.

—Es curioso, yo estaba pensando lo mismo de ti —subió al coche y estaba a punto de cerrar la puerta cuando vio que Steve se paraba en el último momento—. ¿Pasa algo?

—¿Aparte de que vayas a marcharte demasiado pronto? No —se quedó callado un momento y pareció armarse de valor—. Me gustaría volver a verte —dijo—. Si a ti te parece bien.

Se le ocurrieron toda clase de excusas, excusas acerca de plazos de producción, reuniones y presentaciones que tenía que hacer.

Pero al final dijo:

—Me parece muy bien —después, avergonzada por lo atropellada que había sonado su respuesta, cerró la puerta de golpe y arrancó enseguida.

Pero miró un par de veces por el retrovisor para ver si Steve seguía allí, en la acera.

Y allí seguía.

Su corazón dio un brinco cada vez que miró.

Siguió mirando por el retrovisor hasta que dejó de verlo.

Capítulo 9

ERIN acababa de sacar la llave de su casa y estaba a punto de meterla en la cerradura cuando oyó que dentro empezaba a sonar el teléfono.

Su adrenalina se disparó de inmediato al introducir rápidamente la llave en la cerradura. Tenía un contestador y sabía que era probable que la persona que llamaba se hubiera equivocado de número o que quisiera convencerla para que hiciera un donativo a alguna fundación dedicada al bienestar de las palomas mensajeras jubiladas, cojas y bizcas, pero cada vez que oía sonar el teléfono sentía que tenía que hacer todo lo posible por contestar antes de que la persona del otro lado de la línea colgara.

Dándose prisa, consiguió abrir la puerta y llegar al teléfono al cuarto timbrazo, momento en el que la llamada era desviada al buzón de voz. Agarró de todos modos el aparato y, en lugar de esperar para oír el mensaje, intentó hacerse oír por encima de su propia voz. Cuando concluyó el mensaje grabado, al oír un agudo pitido, intentó hablar de nuevo con quien llamaba.

—Hola, ¿sigue ahí? —al no oír nada, lo intentó por última vez—. ¿Hola?

Esta vez, oyó una respuesta.

—¿Es demasiado pronto?

Su corazón se detuvo de golpe y luego redobló su velocidad. Se quedó callada un momento, pensando que eran imaginaciones suyas.

—¿Steve? —preguntó.

—Sí, soy yo. ¿Es demasiado pronto?

Erin ignoraba de qué estaba hablando.

—¿Demasiado pronto para qué?

—Para volver a invitarte.

Apretando el teléfono contra su oreja, Erin sintió que un calorcillo se extendía por todo su cuerpo. Y comprendió que, si sonreía un poco más, corría peligro de desgarrarse las mejillas.

—Tanto odias cocinar, ¿eh?

—Bueno, no iba a invitarte para que nos hicieras la comida —repuso él—. Aunque desde luego es una idea a tener en cuenta. La verdad es que estaba pensando en invitarte a ir al cine.

Erin no había exagerado al decir que tenía una agenda extremadamente ocupada. Era así desde hacía tres años, pero de repente, al hallarse ante aquella invitación inesperada, no consiguió recordar absolutamente nada de lo que había anotado en aquella agenda.

Lo único que recordaba era la sensación de bienestar que había experimentado sentada a la mesa del comedor con Steve y su hijo, charlando. Riendo. Por un instante fugaz, había comprendido que era aquello lo que su madre no paraba de decirle que se estaba perdiendo. Se estaba perdiendo el sentimiento de estar unida a otras personas, de tener una familia con la que hablar, o con la que sentarse en silencio.

Tal vez algún día...

—¿Se te ocurre alguna película en especial? —preguntó.

—Eso te lo dejo a ti —respondió Steve—. Lo que quieras ver me parecerá bien.

Ella ni siquiera tuvo que pensárselo. Ya lo sabía.

—¿Qué te parece si vamos a ver *La alfombra mágica*?

Hubo un largo silencio al otro lado de la línea, como si Steve intentara encontrar las palabras adecuadas para sacar a relucir un tema delicado.

—Sabes que es de dibujos, ¿verdad?

—Sí, lo sé —contestó—. He pensado que a Jason le gustaría más que las otras películas que ponen en los cines de por aquí.

—¿A Jason? —preguntó Steve, sorprendido.

—Sí, a Jason, tu hijo —añadió, intentando disimular la risa—. Un tipo bajito, de siete años para ocho y una bonita sonrisa...

—Sé quién es Jason —dijo él riendo, confuso—. Pero me sorprende que quieras que venga con nosotros al cine.

Se habían llevado muy bien en casa de Steve. Erin no sabía por qué no entendía que incluyera al niño en su invitación.

—¿Por qué te sorprende? —le preguntó.

—Si llevara a mi hijo de siete años a una cita, la

mayoría de las mujeres pensarían que es un intento velado de encasquetárselo —le dijo Steve con franqueza.

—Yo no soy la mayoría de las mujeres —señaló ella.

Por eso precisamente él iba a romper su promesa de olvidarse de salir con mujeres. Porque Erin era muy distinta del resto.

—No, no lo eres —respondió con vehemencia. Aun así, quería asegurarse de que no se sentía obligada—. ¿Estás segura de que quieres ver *La alfombra mágica*?

—Segurísima —contestó y añadió astutamente—: No olvides que soy la que se pasa la vida hablando con dinosaurios de peluche.

—Desde luego, no pienso olvidarlo —porque, por lo que a él respectaba, Jason y él tenían mucha suerte de que así fuera—. Te dejo elegir el día y la hora —añadió.

Erin tampoco tuvo que pensarse aquello.

—Bueno, tendría que ser en fin de semana —le recordó—, porque los dos trabajamos y estoy segura de que tu trabajo es incluso más absorbente que el mío —añadió porque no quería que él pensara que se daba muchos aires—. Así que sería difícil encontrar un hueco para ir al cine a última hora de la tarde, y además Jason tiene que irse a la cama temprano.

Había logrado impresionar de nuevo a Steve. Naturalmente, lo que acababa de decir solo requería un cálculo de lo más sencillo, pero a la mayoría de las mujeres solteras jamás se les habría ocurrido. Claro que la mayoría de las mujeres solteras tampoco estaban dispuestas a pasarse una hora y media viendo a un héroe muy ingenioso haciendo payasadas que desafiaban a la muerte, ayudado por una alfombra mágica que siempre acudía al rescate.

—¿El sábado, entonces? —preguntó.

—Mejor el domingo si no te importa. A veces, los sábados tenemos reuniones de emergencia.

—Por simple curiosidad, ¿qué constituye una emergencia en el mundo de la fabricación de dinosaurios de peluche?

—Bueno, para empezar, estamos empezando a no dar abasto para cumplir con nuestros pedidos.

—¿Tanta gente quiere tu producto? —preguntó, sorprendido.

—Sí, ¿no es maravilloso? —repuso ella con entusiasmo—. Nunca pensé que llegaría el momento en que nuestra producción no conseguiría suplir la demanda, pero ese día está cada vez más cerca, por suerte.

—Entonces creo que tienes que contratar más gente, ya sabes, expandir la empresa —sugirió él.

—Ya lo hemos pensado, pero para serte sincera me da miedo que, si contrato a un par de empleados más, se gafe la empresa y de pronto la gente deje de comprar a Tex y a sus amigos y nos encontremos con un montón de dinosaurios que nadie quiere ya.

—¿Eres supersticiosa? —inquirió Steve.

—Solo un poquitín —reconoció—. Bueno, no me importa pasar por debajo de una escalera o pararme a acariciar a un gato negro, y tampoco me molesta que se derrame la sal en la mesa, como no sea porque tengo que limpiarla. Pero dar demasiadas cosas por sentadas y expandir la empresa hace que me sienta como si estuviera sacándole la lengua al destino o a lo que sea que está detrás del éxito que estamos teniendo. Me parece demasiado arrogante pensar que las cosas pueden seguir así indefinidamente.

—¿Arrogante? —Steve se rio—. ¿Tú? No sé por qué, pero «arrogante» no es la primera palabra que se me ocurre para describirte. Ni la décima, ya que estamos. Yo creo que es simple sentido común, no arrogancia. Piénsalo —le aconsejó—. Puede que sea lo que necesitáis para cumplir con vuestros encargos y vuestros plazos de entrega. Imagino que no quieres empezar a fallar a vuestros clientes. Si no cumples con los plazos, puede que salga dañada tu reputación y, en esta etapa, tu reputación lo es todo.

—¿Cuánto te debo por ese consejo legal, abogado? —bromeó ella.

—Invita la casa —repuso Steve—. A fin de cuentas, tú no me has dejado pagar el dinosaurio.

—Siempre y cuando Jason le dé a Tex júnior un buen hogar, podemos considerarnos en paz.

—Descuida —le aseguró Steve—. Ya me ha preguntado si mañana puedo comprarle a Tex una cama.

—Espero que le hayas dicho que de momento tendrá que compartir la suya.

—Sí, y le ha parecido bien —todavía, cuando lo pensaba, se sentía asombrado. Había recuperado a su hijo y sentía un alivio indescriptible—. En serio, Erin, no sabes cuánto te agradezco que le hayas regalado ese juguete. Vuelve a ser el de antes.

Aquello era recompensa más que de sobra para ella.

—Me alegra haber sido de ayuda.

—¿Y estás segura de que quieres ver esa película infantil?

—Absolutamente —contestó con convicción—. Estoy deseando verla y ver a Jason... y a ti también —añadió por si acaso él tenía alguna duda.

Quería avanzar muy despacio, no solo porque había un niño de por medio, sino porque la idea de salir con un hombre la ponía muy nerviosa. Tener al niño a su lado la ayudaría a aliviar la tensión. Se le daban mejor los niños que los adultos.

—Tengo la programación del domingo aquí mismo —le dijo Steve—. ¿Quieres elegir una hora para anotarla a lápiz en tu agenda?

—No pienso anotarla a lápiz en mi agenda —repuso Erin.

¿Había cambiado de idea de repente?, se preguntó él.

—¿Ah, no?

—No. El lápiz puede borrarse. Usaré un rotulador —dijo, por si caso pensaba que no hablaba en serio al decir que estaba deseando verles.

Steve empezó a leer el horario de sesiones del cine:

—La primera sesión es a las diez y media. ¿Es demasiado pronto para ti? —preguntó.

—¿Las diez y media te parece temprano? —dijo, incrédula—. A esa hora suelo llevar ya cinco o seis horas trabajando.

—¿Un domingo? —inquirió él, impresionado por su dedicación.

—Sobre todo un domingo —contestó con énfasis, y explicó—: Los domingos nadie me interrumpe.

—Tendré que recordarlo —dijo él, divertido—. Te llamaré el sábado por la noche para confirmar la cita.

Aunque le gustaba oír su voz, no hacía falta que la llamara: no pensaba cambiar de idea.

—Considérala confirmada. No voy a perderme la ocasión de ver una buena película con dos hombres tan guapos —le dijo.

—Se lo diré a Jason. Si empieza a ponerse chulito, será culpa tuya —repuso Steve, y luego preguntó—: Solo por curiosidad, si de verdad te apetece ver esa película, ¿por qué no has ido ya? Lleva un par de semanas en la cartelera.

—No me importa ir a comprar sola. Me he acostumbrado. Pero no hay nada más triste que ir al cine sola —contestó—. No lo soporto. Además, ver una película es todo un lujo, teniendo en cuenta el trabajo que tengo.

—Bueno, aun así te llamaré el sábado por la noche, aunque sea solo para hablar.

Si de verdad iba a llamarla solo para hablar, eso significaba que realmente no estaba saliendo con nadie. Erin se descubrió sonriendo de oreja a oreja.

—Hablamos entonces —dijo.

Tras colgar, se quedó allí parada un momento, sonriendo. Se alegró de que no hubiera nadie por allí para observarla, porque seguramente parecía una idiota, sonriendo así a un objeto inanimado.

—Como si hablar con dinosaurios de peluche fuera de lo más normal —dijo con la voz de Tex, burlándose de sí misma.

Pero Tex, la idea de Tex, le había permitido tener un negocio que iba camino de volverse muy lucrativo. Al hablarle de ello a Steve, se había quedado corta. Recibían tantos pedidos que Judith, Neal y Christian apenas podían mantener el ritmo de producción.

Y lo que le había dicho a Steve era cierto: de veras le daba miedo contratar a más gente por si a partir de ese momento, por razones desconocidas, el negocio comenzaba a decaer y se veía obligada a echar a las personas a las que acabara de contratar.

Se le daba fatal despedir a la gente. De hecho, dudaba de que hubiera alguien en el mundo a quien se le diera peor. Solo lo había hecho una vez y le había costado horrores, a pesar de que Wade Baker se merecía el despido por muchos motivos. No solo porque no sabía trabajar en equipo y siempre se empeñaba en decirle a todo el mundo lo que tenía que hacer, sino porque se había tomado con ella unas confianzas que nada tenían que ver con la empresa.

Lo había despedido y él se había negado a marcharse. Erin había tenido que amenazarlo con una orden de alejamiento porque seguía presentándose a trabajar y, después, hasta en su casa. Cada vez se ponía más agresivo y desagradable, hasta que la situación se había vuelto insostenible.

Pero hacía ya un par de meses que se había librado de Wade y confiaba en no tener que volver a verlo nunca.

Tal vez hubiera encontrado otra persona a la que fastidiar. El porqué se había marchado carecía de importancia. Lo único importante es que había desaparecido de su vida.

Bostezando, entró en la cocina para prepararse una infusión antes de irse a la cama. Era su forma de relajarse, y esa noche se sentía como un gigantesco muelle metálico.

Al beber el primer sorbo del té chai, se le ocurrió una idea y su boca se curvó mientras bajaba la taza.

Tenía una cita.

Una cita de verdad. Su madre iba a ponerse como loca de contento.

Pero al echar mano del teléfono para llamarla, una vocecilla le advirtió dentro de su cabeza: «¡No, no lo hagas! ¡Aún no!».

Se detuvo, indecisa. Seguramente aquella vocecilla tenía razón. Sabía que su madre se pondría contentísima, pero sabía también que echaba las campanas al vuelo a la menor provocación. Y a ojos de su madre, aquello sería motivo más que de sobra para hacerse ilusiones.

Si le decía que iba a salir con Steve, estaba segura de que saldría disparada como una flecha en busca del vestido de novia y el pastel de bodas perfecto.

Exhaló un largo suspiro, tomando una decisión. Era mucho mejor decírselo después de la cita.

Como al entrar en casa había corrido a responder al teléfono, se dio cuenta de que se había olvidado por completo de recoger el correo. Seguramente solo había facturas y catálogos varios que no le interesaban lo más mínimo. Aquello podía esperar hasta el día siguiente.

Aun así, como el buzón era pequeño, sabía que, si no lo vaciaba ahora, no quedaría sitio para que el cartero metiera las cartas del día siguiente. Y a ella no le gustaba causar molestias.

Así que, dando un suspiro, sacó la llave del buzón. Se puso otra vez los zapatos y abrió la puerta dispuesta a bajar.

En cuanto se había puesto el sol había empezado a refrescar, como si la Madre Naturaleza estuviera avisando de que el verano no iba a durar indefinidamente y de que el otoño estaba a la vuelta de la esquina. Al abrir la puerta, le pareció oír el aullido de un coyote a lo lejos. Había oído a uno o dos desde que vivía allí.

Sabía que vivían por los bosques que rodeaban la ciudad, pero nunca se había encontrado con uno.

Al oír aquel aullido, un escalofrío recorrió su espalda. ¿Sería una especie de presagio?

«No eres supersticiosa, ¿recuerdas?».

Corrió hasta el buzón, situado junto a la acera. Abrió la portezuela rectangular, agarró el puñado de sobres, cerró de nuevo y volvió a toda prisa a casa. Dejó el correo y la llave del buzón sobre la mesa baja, pensando que miraría las cartas por la mañana. Pero algo llamó su atención.

Era un sobre de color crema, cuadrado y pequeño, que destacaba entre los demás por su forma. Aquel sobre no lo enviaba una empresa, sino una persona concreta. Para empezar, estaba escrito a mano. Y no llevaba remitente.

Curiosa, Erin decidió por fin abrirlo. Y enseguida deseó no haberlo hecho.

Solo había un renglón escrito en medio de la hoja. El remitente había usado letras mayúsculas:

DEBISTE PORTARTE BIEN CONMIGO CUANDO TUVISTE OCASIÓN.

Capítulo 10

NO había nada más dentro del sobre, ni escrito fuera.

Erin exhaló un suspiro, intentando no dejarse llevar por el pánico.

—Muy bien, una carta de un admirador no es —dijo mientras doblaba la hoja y la guardaba con cuidado en el sobre.

Tuvo cuidado de sujetar la carta por una esquina para no mancharla con más huellas dactilares.

Seguramente no era nada, se dijo. Pero, si estuviera viviendo en una serie policíaca de televisión, aquella carta podía ser la única pista que ayudara a los investigadores de la policía a descubrir al asesino... después del asesinato.

—No sigas por ahí, Erin, vas a volverte loca. Seguramente será el imbécil de Wade, que quiere volverme paranoica —dijo en voz alta.

Por una vez no había usado la voz de Tex.

Aun así, guardó el sobre en el cajón de arriba de su mesa, donde pudiera verse bien, solo por si acaso. Cerró el cajón y exhaló otro largo suspiro para calmarse.

No iba a pensar en lo que decía la nota y a permitir que le estropeara uno de los mejores días que había tenido en mucho tiempo.

No podía evitarlo.

Por más que lo intentó, no consiguió quitarse la carta de la cabeza en toda la noche. Cuanto más oscura se hacía la noche, más negros se volvían los pensamientos que la asaltaban.

¿Y si no era Wade? ¿Y si la nota se la había enviado algún loco que la había elegido al azar? Cosas más raras habían pasado. Pero dado que el sobre iba dirigido expresamente a ella, parecía poco probable que se tratara de un gran error, y dudaba mucho de que aquello lo hubiera hecho un perfecto desconocido.

Hoy en día, era mucho más probable que un desconocido se introdujera en tu ordenador y lo infectara con un virus o intentara estafarte, y para eso no se necesitaba el correo postal.

Así que ¿quién podía estar amenazándola así?

No lograba convencerse de que fuera de verdad Wade, aunque de momento era la única respuesta que le parecía lógica.

—No voy a pensarlo —le dijo a la imagen soñolienta que la miraba desde el espejo de su cuarto de baño a la mañana siguiente—. Sí, ya —murmuró mientras guardaba el cepillo de dientes y se obligaba a prepararse para ir a trabajar.

El trabajo era su tabla de salvación. Recurría a él siempre que algo la inquietaba. Porque, cuando estaba trabajando, se olvidaba de todo salvo de la alegría que producirían los juguetes que diseñaba.

Cerró la puerta de casa y se metió en el coche mecánicamente, y cuando llegó a la oficina de Imagina apenas recordaba el trayecto.

—Vaya, tienes un aspecto horrible, Líder Temeraria. ¿Has pegado ojo esta noche? —le preguntó Mike cuando entró en la oficina.

Acostumbrada a llegar cuando la oficina aún estaba vacía, Erin se sobresaltó al ver que no estaba sola. Mientras intentaba despejarse, lanzó una larga mirada a Mike. Tenía la camisa toda arrugada, como si hubiera dormido con ella puesta.

—Mira quién fue a hablar —contestó—. Yo por lo menos me he ido a casa. ¿No es esa la camisa que llevabas ayer?

—Puede que tenga más de una camisa de este color —contestó él a la defensiva.

—El hecho de que no contestes a mi pregunta contesta a mi pregunta —le dijo Erin.

Mike sacudió la cabeza y volvió a fijar su atención en lo que estaba haciendo al entrar ella.

—Tienes que dejar de ver esas series policíacas —masculló y, en vista de que Erin esperaba alguna explicación, añadió a regañadientes—: Estaba intentando solucionar una cosa y puede que se me haya ido el tiempo de las manos. Supongo que me quedé dormido en mi mesa —reconoció.

Erin, que se había acercado a su mes, le echó un vistazo más atento.

—Eso explica que tengas la marca de un clip impresa en la cara. ¿Se puede saber qué estabas intentando solucionar exactamente?

—No quería decírtelo —respondió Rhonda detrás de ella.

Erin se volvió y la vio de pie en la puerta. También era muy temprano para Rhonda, pensó sin poder evitarlo. ¿Qué demonios estaba pasando?

—¿Decirme qué? —preguntó.

—Que nos han demandado. A la empresa —contestó Rhonda.

—¿Que nos han demandado? —repitió, atónita—. ¿Por qué? ¿Por hacer dinosaurios de peluche preciosos? No hay nada ni remotamente peligroso en nuestros juguetes —declaró—. A no ser porque son guapos de morirse. Y, que yo sepa, esa no es razón para cerrar la fábrica.

Christian se había reunido con ellos, con aspecto tan cansado como todos los demás.

—No nos ha demandado un padre, ni ninguna organización de defensa del consumidor —dijo.

—Entonces, ¿qué pasa? —preguntó ella—. ¿Quién nos ha demandado?

Christian pareció armarse de valor y contestó:

—Wade Baker.

Erin notó que se quedaba boquiabierta. Cerró la boca y miró fijamente a Christian. Aquello era absurdo.

—Será una broma —pero tuvo la sensación de que era cierto.

—Ojalá —le dijo Christian con sinceridad.

—¿Y por qué iba a demandarnos Wade? ¿Porque lo despedí por ser vago e irrespetuoso con todo el mundo, y porque su idea de la experiencia de primera mano equivalía a manosearme a mí? —exclamó—. En todo caso seríamos nosotros quienes deberíamos demandarlo a él, no al revés.

Christian meneó la cabeza. Se sentó junto a Mike y Rhonda.

—Por lo visto, según la demanda, asegura que Tex el tiranosaurio fue idea suya.

—¿Idea suya? —repitió, incrédula. Baker no había tenido ni una sola idea original durante el tiempo que había trabajado para ella—. Si Wade tuviera una idea de la clase que fuera, se moriría de soledad dentro de su cabeza —repuso, enfadada.

Mike esquivó su mirada al decirle:

—Bueno, al parecer afirma que se la robaste después de que... os acostarais —balbució tras dudar un momento—. Dice que te contó su idea mientras estabais charlando en la cama.

Completamente estupefacta, Erin ni siquiera encontró palabras para expresar su indignación. Por fin logró decir con voz ronca:

—¿Qué?

—¿Quieres que lo repita? —preguntó Mike, indeciso.

—No, quiero que le pegues un tiro —aturdida, sacudió la cabeza. Aquello era un disparate—. Ese hombre y yo nunca hemos charlado en la cama. Nunca hemos estado juntos en la misma cama —se estremeció al pensarlo.

—Oye, a nosotros no tienes que demostrarnos nada —le aseguró Christian.

—Sabemos que no tienes tan mal gusto —añadió Rhonda.

Erin suspiró, trémula todavía.

—No intento demostrar nada. Lo afirmo rotundamente. Wade solo está haciendo esto porque lo despedí después de que intentara tomarse unas confianzas conmigo que yo no había buscado en ningún momento. Es su forma de vengarse.

Pero mientras pronunciaba aquellas palabras, se sintió profundamente preocupada.

El motivo por el que estaba ocurriendo aquello no cambiaba las cosas. Baker podía arruinarla y hacer que todos los que trabajaban con ella perdieran su trabajo, solo porque había herido su orgullo viril.

Miró a sus tres compañeros y pensó en los otros tres que aún no habían llegado. Dependían de ella, creían en ella, habían aguantado sin salario en ocasiones para que la empresa pudiera despegar.

No podía permitir que aquel chiflado egoísta se saliera con la suya.

—¿Desde cuándo lo sabéis? —le preguntó a Mike.

—Desde ayer, después de que te fueras —contestó—. Su abogado se presentó aquí para entregarnos los papeles. Según él, se supone que tenemos que cerrar la empresa hasta que se resuelva este asunto.

Los ojos de Erin se agrandaron, llenos de ira. Eso no podía ser.

—No podemos parar la producción —gritó—. Tenemos una tonelada de encargos que cumplir.

—Lo sé —Mike sacó los papeles que le había llevado el abogado de Wade. Se acercó a Erin y se los dio—. Pero tengo que reconocer que esto intimida bastante, lo mismo que su abogado.

Erin leyó por encima la primera página. Las palabras flotaron delante de sus ojos. Estaba tan alterada que no entendía nada.

—Ese tipo será seguramente de esos abogados que persiguen ambulancias para conseguir clientes —comentó con desdén.

—Si lo es, creo que sería capaz de atraparlas con sus propias manos —le dijo Christian—. Parecía un gigante. Medía como un metro noventa y pesaba más de cien kilos. No dan ganas de meterse con él.

Erin estaba cada vez más enfadada. Aquel abogado, fuera quien fuese, estaba amenazando una de sus cosas más queridas e intimidando a personas que le importaban al amenazarles con dejarles sin medio de vida.

Miró a Mike.

—Debiste llamarme —dijo.

—Confiábamos en poder arreglarlo. Ya tienes suficientes cosas en que pensar —repuso Mike—, intentando cerrar un acuerdo con esas cadenas jugueteras.

—¿Lo saben los demás? —preguntó, refiriéndose a Judith, Neal y Gypsy.

Mike asintió.

—Todos menos tú.

—Erin, ¿tenemos ahorrado dinero suficiente para contratar a un buen abogado? —preguntó Rhonda.

—La pregunta es: ¿tenemos dinero suficiente para contratar a algún abogado? —replicó Christian.

Aparte de pagar los salarios de los empleados, su hipoteca y la comida, Erin había estado reinvirtiendo todos sus beneficios en la empresa con vistas a expandirla e impresionar a las cadenas jugueteras en las que había puesto sus miras.

Miró a las otras tres personas que había en la habitación. Había fundado aquella empresa con un sueño y tres amigos dispuestos a ayudarla a hacerlo realidad. No podía terminar así.

Y sin embargo...,

Le dolía reconocerlo, pero no estaba dispuesta a mentir a personas que le importaban:

—Ahora mismo tenemos dinero suficiente para pagar una ronda de café para todos... siempre y cuando sean de tamaño mediano.

—Genial —mascculló Christian, hundiéndose en la silla.

—¿Qué vamos a hacer? —preguntó Rhonda.

Christian levantó la mano como si estuvieran en el colegio. Cuando Erin lo miró, dijo:

—Tengo un primo que conoce a un tipo que podría meter a Baker en un crucero con billete solo de ida, siempre y cuando vaya metido en un baúl y paguemos el pasaje en la bodega.

Erin frunció el ceño.

—Ya me gustaría, pero eso solo empeoraría las cosas.

—Entonces, ¿qué vamos a hacer? —preguntó Christian.

Erin exhaló un suspiro, frustrada. Tenía ganas de darle una paliza a Wade Baker.

—Podría intentar razonar con él.

—Eso es presuponer que ese capullo tiene raciocinio —señaló Mike—. Recuerda que es el tipo al que no le gusta trabajar ni colaborar con otras personas. El tipo al que yo habría puesto de patitas en la calle el primer día si tú no fueras tan blanda.

Erin era muy consciente de que, en el fondo, aquello era culpa suya.

—Lo sé y lo siento, pero pensé que solo necesitaba un poco de tiempo.

—Sí, de veinte años a cadena perpetua —comentó Rhonda en broma.

—¿Estás segura de que no quieres que llame a mi primo? —preguntó Christian esperanzado.

Era una idea tentadora, pero Erin no podría vivir con esa carga sobre su conciencia.

—Estoy segura —desesperada, buscó una solución...

Y entonces se acordó de Steve.

Él era abogado. Como mínimo podría darle alguna idea sobre cómo salir de aquel aprieto que podía convertirse en un espantoso embrollo jurídico y detener su producción. En el fondo, sospechaba que eso era justamente lo que se proponía Wade.

—Voy a hacer una llamada —anunció.

—¿Conoces a un matón? —preguntó Mike.

—No —dijo ella con paciencia—. Conozco a un abogado.

—Los matones son más de fiar —repuso Mike.

—Me encantaría estrangular a Wade con mis propias manos —reconoció—, pero no creo que nos permitieran fabricar a Tex y a sus amigos desde la cárcel.

—Bueno, ¿quién sabe? A fin de cuentas, en la cárcel se hacen matrículas para coches, ¿no? —señaló Rhonda.

Erin los miró a los tres. Los quería muchísimo. No pensaba permitir que todos sus esfuerzos se deshicieran como castillos de arena ante el envite de una ola.

—¿Sabéis? —les dijo—, como animadores la verdad es que dejáis mucho que desear.

Mike sacudió la cabeza.

—Sabía que tenía que haberle dado una paliza a Baker cuando descubrí lo que intentaba hacer contigo.

Erin le dio unas palmaditas en la cara.

—No creas que no te lo agradezco, Mike, pero tampoco teníamos dinero para pagar tu fianza si ibas a la cárcel, y Baker es de los que pelean sucio.

—Creo que mi abuela tiene un viejo baúl en su trastero —comentó Christian tras ella cuando Erin se alejó hacia su despacho.

En lugar de responder a su ofrecimiento, Erin levantó la mano por encima de la cabeza y la agitó.

En el pequeño espacio acristalado que servía como su despacho privado, se sentó y sacó la tarjeta que le había dado Steve. Se quedó mirándola un rato.

Seguramente iban a tener que suspender la cita para ir al cine, pensó, pero ya había tomado una decisión: necesitaban salvar la empresa más de lo que ella necesitaba salir con Steve.

O con cualquier otro hombre, puntualizó. Respiró hondo y marcó el número en el teléfono fijo. Supuso que contestaría la secretaria del bufete y se preparó para escuchar una voz femenina. Pero lo que oyó fue la voz grave de Steve al otro lado de la línea. En cuanto la oyó, sintió que se le aceleraba el pulso.

Tenía que controlar aquella reacción automática, se dijo.

—Hola —dijo con la boca seca—. ¿Te pillo en mal momento?

Hubo una ligera pausa y luego oyó preguntar a Steve:

—¿Erin? ¿Eres tú?

Teniendo en cuenta que solo habían hablado una

vez por teléfono, era una deducción notable por su parte.

—Tienes buen oído —le dijo.

A Steve le pareció prudente no decirle que no había podido quitársela de la cabeza desde la noche anterior, no solo porque su hijo no había parado de hablar de ella, sino porque, aunque Jason no la hubiera mencionado ni una sola vez, su recuerdo habría perdurado en su mente como un perfume intenso que se hubiera infiltrado en sus sentidos.

Todavía era muy pronto y, si decía algo así, podía asustarla. Y tal vez él estuviera precipitándose, concediéndole más valor del que merecía. Sabía muy bien, sin embargo, por qué Erin lo había deslumbrado hasta aquel punto: era brillante, divertida e ingeniosa, y había conseguido conectar con su hijo.

—Tengo buena memoria para las voces —dijo—. Bueno, ¿qué puedo hacer por ti?

—Necesito consejo.

—Adelante, te escucho.

—Resulta que me han demandado.

—¿Esta mañana? —preguntó Steve, un asomo de escepticismo se abrió paso en su mente. La noche anterior Erin no le había dicho nada de una demanda. ¿Acaso lo de la víspera había sido una trampa para propiciar aquella conversación? ¿Había fingido con su hijo para embaucarlo? Le desagradaba ser tan desconfiado, pero más aún le desagradaba que lo engañaran. Además, no se trataba solo de él. Ya nunca se trataba solo de él. Tenía que pensar en plural porque todo lo que hacía afectaba a Jason.

—Pues, aunque parezca raro, sí —contestó ella—. No me he enterado hasta esa mañana.

Muy bien, de momento le seguiría la corriente. ¿Quién sabía? Quizá fuera cierto.

—¿Quién te ha demandado?

—Es un poco complicado para explicártelo por teléfono —le dijo—. ¿No estarás libre para comer, por casualidad?

Steve sacó su móvil y miró el calendario de ese día. Tenía algo a mediodía, pero podía cambiar la cita fácilmente.

—Podría ser —reconoció, y se acordó de lo que le había dicho ella acerca de sus apreturas de tiempo—. Creía que habías dicho que estabas muy liada.

Erin se rio suavemente.

—Si esta demanda sigue adelante y ese tipo gana, solo tendrá una cosa que hacer: buscar trabajo.

Su miedo era casi palpable. Steve empezó a creerla.

—¿Tan mal está la cosa? —preguntó.

—Peor —contestó.

—Espera un segundo, déjame ver qué puedo hacer con mi agenda de hoy —dijo.

—No quiero que tengas que cambiar nada —protestó a destiempo. Al no obtener respuesta, se dio cuenta de que la había dejado en espera.

Aquello era mala idea, se dijo.

Le estaba pidiendo un favor a un hombre al que apenas conocía... y al que posiblemente nunca llegaría a conocer puesto que iba a pensar, casi con toda probabilidad, que quería utilizarlo. El problema era que no conocía a nadie más a quien recurrir. Tal vez su madre conociera a...

—Ya estoy aquí otra vez —declaró Steve—. Estoy libre esta mañana entre las diez y las once. ¿Puedes pasarte por aquí a las diez?

—Claro que sí —le dijo.

—Muy bien. Entonces, hasta luego —repuso Steve. Tenía que reconocer que sentía una enorme curiosidad.

—Te agradezco mucho que me hayas hecho un hueco.

—Yo estaba a punto de perder la paciencia con Jason. Tú conseguiste hacerle reaccionar y además sin aparente esfuerzo —dijo con sinceridad—. Lo menos que puedo hacer es intentar ayudarte.

—No, significa mucho para mí, de verdad —repuso ella—. No tengo ningún abogado al que recurrir. Gracias —le dijo, azorada, y colgó rápidamente.

Aunque no le gustara, a Steve tanto la vida como su profesión le habían enseñado a desconfiar, y de nuevo tuvo que preguntarse por aquella repentina llamada de Erin.

Con un poco de suerte, pensó mientras colgaba el teléfono, no se arrepentiría de aquello.

Pero aún no las tenía todas consigo.

Capítulo 11

POCO más de una hora después, Erin entró en la planta baja del edificio de Steve, una torre de oficinas de reciente construcción que era el último grito en diseño arquitectónico inteligente. Los muros exteriores eran por completo de cristal ahumado. El edificio parecía albergar un museo de arte, en lugar de diversas oficinas, entre las que se encontraban varios bufetes de abogados.

El bufete al que pertenecía Steve era el que aparecía con letras más grandes en el directorio del vestíbulo, notó Erin.

«Yo no podría permitirme esto», pensó al montar en el ascensor.

Se convenció aún más de que no podía pagar los servicios de Steve cuando salió del ascensor. Al parecer, el bufete tenía alquilada toda la cuarta planta.

Se acercó con piernas un poco temblorosas al largo

e imponente mostrador de recepción, detrás del cual se leía en grandes letras plateadas: *Donnal, Wiseman, Monroe y Finnegan*, los cuatro socios fundadores del bufete.

«Esto es un error», se dijo. «No debería haber venido».

Por un instante pensó en dar media vuelta y volver al ascensor, pero en ese preciso momento la elegante pelirroja que atendía el mostrador levantó la mirada y la vio.

—¿Puedo ayudarla? —preguntó con cuidadosa dicción.

Bueno, ya que estaba allí, más valía seguir adelante, se dijo Erin.

—Vengo a ver a Steven Kendall.

La mujer, una auxiliar administrativa llamada Ruby Royce, la miró desapasionadamente un segundo, como si le tomara la medida.

—¿Tiene cita? —inquirió finalmente con voz tranquila y fría.

Erin apretó los labios.

—No estoy segura de que pueda decirse que sea una cita, exactamente.

Maldición, se le estaba trabando la lengua, lo cual solía pasarle cuando hablaba con otro adulto sin tener en brazos a un dinosaurio de peluche. Respiró hondo y lo intentó otra vez:

—Quiero decir que...

—Tiene cita, Ruby —afirmó Steve, apareciendo detrás de la recepcionista—. Es mi cita de las diez —especificó.

—Hola —dijo Erin con visible alivio.

—Tiene gracia, no se parece a Harvey Rothstein —observó Ruby con sorna.

—El señor Rothstein ha tenido la bondad de posponer nuestra cita hasta las doce —le dijo Steve—. Quizá quieras anotarlo en tu agenda.

Ruby asintió y así lo hizo.

—Preferiría que me avisara cuando decide jugar a las sillas con las citas de su agenda, señor Kendall.

—Te estoy avisando ahora, Ruby —repuso él, impertérrito—. La próxima vez procuraré hacerlo antes —miró a Erin y añadió—: Bueno, vamos a mi despacho para que me cuentes eso que te preocupa.

Erin hizo un gesto afirmativo y echó a andar a su lado por el pasillo que llevaba a su despacho. Pero, mientras se alejaba de recepción, habría jurado que los ojos de Ruby vigilaban cada uno de sus movimientos.

—Creo que no le caigo bien —comentó en voz baja.

—No es nada personal —le aseguró Steve mientras avanzaban por el pasillo—. Es que no le gusta que la pillen desprevenida, nada más. Eso desmejora la imagen que tiene de sí misma: la de ser la mejor auxiliar administrativa del mundo. Y, entre tú y yo, la verdad es que lo es casi siempre. Por aquí —añadió señalando un despacho a la derecha.

Erin estuvo a punto de pasar de largo. Retrocedió un par de pasos y cruzó la puerta de un despacho espacioso y aireado, aunque decididamente masculino. Sintiéndose un poco intimidada, se detuvo junto a la puerta y miró a su alrededor.

—¿Pasa algo? —preguntó él con curiosidad.

—No —le aseguró con demasiada precipitación, y agregó—: Solo que estaba pensando que mi empresa entera cabría en este despacho, y todavía sobraría sitio.

Steve le señaló la silla que había al otro lado de su mesa y se dejó caer en el suave sillón de piel.

—Este bufete tiene cerca de medio siglo. Han tenido tiempo de prosperar.

Erin se sentó, pero agarró con fuerza los brazos de la silla y volvió a sentir que había cometido un error al ir allí.

Más valía que le diera primero las malas noticias.

—No puedo permitirme pagarte —le dijo—. Ahora mismo, quiero decir. No todos tus honorarios —puntualizó de nuevo.

Dios, cuánto desearía que las palabras se deslizaran suavemente de su lengua, en lugar de salir entrecortadas y a trozos cuando estaba nerviosa.

—Lo que intento decirte es que no tengo mucha liquidez. Casi todo el dinero que gano lo reinvierto casi inmediatamente en la empresa, pero puedo pagarte a plazos... en muchos plazos, seguramente —agregó mientras observaba la elegante librería y los volúmenes encuadernados en piel pulcramente alineados en los estantes—. Te pagaré toda la minuta, tarde lo que tarde en hacerlo —prometió solemnemente—. Pero, si decides que prefieres que no sea así, lo entenderé —concluyó.

Quería que comprendiera que no buscaba ningún trato de favor.

—¿Has acabado? —preguntó Steve cuando por fin se detuvo a tomar aire.

—Me he quedado sin respiración —reconoció ella.

Steve hizo un gesto afirmativo.

—Es lo mismo. De momento, ¿por qué no me cuentas qué es lo que te preocupa? Después hablaremos de los términos y las tarifas.

—Muy bien —no soltó los reposabrazos de la silla—. Me han demandado —tuvo la sensación de que las palabras se le quedaban pegadas al paladar y le arañaban la piel.

—¿Quién?

—Wade Baker —hasta su nombre le dejaba un regusto amargo en la boca.

—¿Lo conoces? —inquirió él.

—Sí —respiró hondo antes de añadir—: Lo despedí.

Sin apartar los ojos de los suyos, Steve se recostó ligeramente en su sillón.

—Entiendo.

—No quería despedirlo —explicó ella, y su voz volvió a tomar cierto impulso—. Me supo muy mal tener que despedir a Wade, pero no me quedó otro remedio.

—Te escucho —dijo Steve, animándola a continuar.

—Wade fue una de las primeras personas a las que contraté. Nos conocemos todos hace mucho tiempo.

—¿Todos? —preguntó Steve.

—Las demás personas que trabajan en Imagina y yo. Fuimos juntos a la universidad —explicó—. Cuando fundé la empresa, recurrí a ellos y empezamos juntos el negocio.

—Y entonces despediste a Wade —concluyó él.

Aquello sonaba brusco y caprichoso, pero no lo era.

—Bueno, no enseguida. Trabajamos juntos tres años, nos quedábamos hasta las tantas en la oficina, nos alimentábamos de sándwich de mostaza, cosas así —explicó—. Fue bastante duro y, para serte sincera, un par de veces pensé en darme por vencida. Creo que la mayoría pensó lo mismo —reconoció—. Y luego, hará cosa de un año, después de que un periodista hiciera un reportaje sobre Tex que emitió una cadena de televisión nacional, por fin despegamos. Se dispararon las ventas, empezó a costarnos mantener el ritmo de producción —«y fue una época maravillosa», no puedo evitar pensar.

—Háblame de la querella —la instó Steve—. ¿Por qué te ha demandado ese tal Wade Baker?

La disgustaba hablar de ello, pero ignorándolo no iba a conseguir que se resolviera el problema.

—Asegura que Tex y un par de juguetes más fueron idea suya.

—Y no es cierto —constató Steve.

—¡No! —exclamó Erin—. Claro que no. Como te decía el otro día, me inventé a Tex cuando tenía diez años, casi once. Estaba en el hospital. Mi madre venía a verme todos los días, pero yo solo quería un amigo, un amigo que no estuviera enfermo, que no estuviera recibiendo tratamiento pero que estuviera allí, conmigo, todo el tiempo. Siempre me han gustado los dinosaurios, así que un día me inventé a Tex usando un calcetín viejo de color verde. Después, mi madre me trajo un poco de fieltro verde.

»Mientras yo recibía tratamiento, mi madre se sentaba en mi habitación, esperando a que me espabilara, y trabajaba en Tex para darme una sorpresa. Cuando acabó, yo le añadí unos cuantos toques. Entre las dos dimos vida a Tex.

A Steve le sonó bastante plausible. Lo cual lo llevó a formular otra pregunta:

—¿Por qué crees que te ha demandado Wade?

En lugar de contestar, Erin sacó una bolsa de plástico cerrada de su bolso y la puso sobre la mesa. Dentro estaba la carta que había recibido el día anterior.

—¿Qué es esto?

—Es una carta que encontré anoche en mi buzón. No lleva remite y solo hay un renglón escrito en la hoja, pero tengo la sensación de que es de Wade.

Steve tomó la bolsa de plástico y sacó un pañuelo antes de extraer el sobre y a continuación la única hoja que contenía. Leyó la nota y miró a Erin.

—A simple vista, creo que tienes razón —dejó la nota y el sobre a un lado, de momento—. Tengo que preguntártelo —dijo, y añadió—: ¿Wade y tú erais pareja?

—No, aunque no porque él no quisiera —respondió Erin.

—¿Puedes ser un poco más clara?

—Wade dio por descontado que, como pasábamos tanto tiempo juntos todos los días trabajando en la oficina, estaría dispuesta a acostarme con él. Pero no lo estaba —añadió con vehemencia. Quería dejárselo claro a Steve, que supiera que no se tomaba a la ligera esas cosas—. Lo consideraba un amigo, nada más. Pensé que me dejaría tranquila al ver que no me interesaban sus insinuaciones ni sus intentos de acercarse a mí, pero lo que hizo fue redoblar sus esfuerzos —arrugó el ceño—. Como tampoco le funcionó, se puso desagradable.

»Empezó a discutir con los demás compañeros de la oficina y la situación llegó a ser tan incómoda que por fin no me quedó más remedio que despedirlo. Y entonces se enfadó aún más. Sabe que la empresa lo es todo para mí. Demandarme y parar la producción es su modo de tomarse la revancha. Va a obligarme a cerrar la empresa. Ahora mismo no doy abasto para cumplir con todos los pedidos, no puedo pagar a la gente que trabaja conmigo. Después de esta demanda, el trabajo va a convertirse en un infierno —se lamentó.

Steve había estado asintiendo pensativamente mientras la escuchaba. Cuando concluyó, esbozó una sonrisa comprensiva.

—Deja que eche un vistazo al asunto, a ver qué puedo hacer —miró la carta que le había llevado. Había vuelto a guardarla en la bolsa, junto con el sobre—. ¿Te importa que me la quede por ahora? —preguntó—. Tenemos en nómina a un par de investigadores privados de primera. Puedo decirle a uno de ellos que le pida a un amigo suyo que eche un vistazo a las letras, a ver si averiguamos algo.

A Erin le pareció maravilloso, pero aun así dudó antes de decirle que sí.

—Todavía no hemos hablado de tus honorarios —le recordó, temerosa de que, cuando hablaran de ellos, sus esperanzas de solucionar aquel asunto se desvanecieran por completo.

Era muy posible que su tarifa superara con creces lo que ella podía pagar. Pero nunca había sido muy dada a esconder la cabeza en la arena cuando tenía un problema, y no podía hacerse la desentendida: si no podía permitirse pagar a Steve, y sospechaba que no podía, tenía que saberlo inmediatamente.

—No, no hemos hablado de mis honorarios —reconoció él.

Como no dijo nada más, Erin preguntó:

—¿Y no deberíamos hacerlo?

—¿Qué te parece si lo dejamos de lado, por el momento? —sugirió Steve.

Erin enderezó la espalda de inmediato.

—Sé que mi empresa todavía está empezando y que no tenemos mucha liquidez, pero eso no significa que esté buscando caridad...

—Nadie te está ofreciendo caridad —se apresuró a decir él. «Al menos, no exactamente», añadió para sus adentros—. ¿Sabes qué te digo? Deja que exponga el asunto ante los socios del bufete. Te avisaré con lo que decidan. Mientras tanto, intenta no preocuparte demasiado. Tengo un buen presentimiento sobre este asunto.

—Menos mal, porque yo no —mascullló ella.

—Vuelve al trabajo —le dijo Steve—. Reagrupa a tus tropas. Yo te avisaré en cuanto sepa algo.

Erin no era ni mucho menos tan ingenua como parecía a primera vista.

—¿Es así como dais largas los abogados? —preguntó, temiendo hacerse ilusiones.

—No, así es como decimos «te avisaré en cuanto sepa algo» —contestó él con paciencia. Se levantó y añadió—: Te acompaño a la puerta.

Pero Erin negó con la cabeza.

—No te molestes. Ya te he entretenido bastante. Puedo encontrar la salida por mí misma: le he dicho a Tex que fuera dejando un rastro de miguitas —añadió. Y luego dijo con la voz aguda del dinosaurio—: Y eso he hecho, aunque muchas me las he comido. Es que tenía hambre.

Steve se rio, encantado.

—Supongo que debo considerarme afortunado por que no me haya dado un bocado, ya que estaba —después se puso un poco más serio y preguntó—: ¿Lo del domingo sigue en pie?

Erin no se había olvidado de su cita para ir al cine, pero tan pronto había recibido la nota y la noticia de la demanda, todo lo demás había volado de su cabeza.

—¿Podemos vernos cuando no estás trabajando? —preguntó.

—Creo que Jason insistirá en que sí. Siempre y cuando esté incluido.

—Claro que está incluido —le aseguró Erin—. Entonces, ¿no hay conflicto de intereses?

—No, a no ser que quieras que también represente a ese tal Wade.

—Ni pensarlo —exclamó ella.

—Entonces no pasa nada —dijo él con un guiño—. Y como te decía, intenta no preocuparte.

—Es muy fácil decirlo —respondió, y explicó por qué, en parte, estaba tan angustiada—. A Wade no le gusta aceptar un no por respuesta.

—A mí tampoco —respondió Steve—. Pero ese tal Wade va a tener que aprender a aceptarlo. Por cierto, te llamaré en cuanto tenga noticias —prometió—. ¿Dónde puedo encontrarte, por cierto?

Erin sacó su tarjeta con el logotipo de Imagina, la dirección y el número de teléfono de la oficina.

—Casi siempre estoy en la oficina, aunque de vez en cuando voy a casa. Para cambiarme de ropa, principalmente —confesó—. Mi número de casa ya lo tienes.

Steve guardó la tarjeta en el bolsillo de la pechera de su americana gris oscura.

—Te llamaré dentro de poco —le dijo.

Erin asintió con un gesto al salir del despacho.

Steve se quedó en la puerta y la vio alejarse por el pasillo, camino del ascensor. Después, fue en busca de uno de sus jefes, el que le había abierto las puertas del bufete.

Quería proponerle que se hicieran cargo de un caso gratuitamente, cosa que no ocurría desde hacía muchísimo tiempo.

—¿Quieres que nos hagamos cargo de un caso sin cobrar? —preguntó Gerald Donnal, algo sorprendido por la petición.

Steve estaba en el despacho del socio fundador del bufete.

—En efecto, señor. Si no, voy a tener que tomarme parte de esos días de vacaciones que todavía tengo pendientes de los últimos dos años. Pero en este momento no sé cuánto tiempo sería.

Gerald Donnal, un hombre de sienes grises y ancha cintura, lo miró atentamente.

—No es que crea que no te mereces unas vacaciones, Steven, pero ¿no es muy repentino? ¿Y qué tiene eso que ver con que aceptemos un caso gratuitamente?

—Es repentino, sí —reconoció Steve. Estaba todavía un poco sorprendido por la rapidez con que se había decidido—. Y si no quiere aceptar el caso sin cobrar nuestros honorarios correspondientes —añadió—, no me queda más remedio que tomarme unas vacaciones para ocuparme de él en mi tiempo libre.

—¿Tan importante es para ti? —preguntó Donnal, visiblemente intrigado.

Steve estuvo a punto de negar automáticamente que se tratara de un asunto de interés personal, pero decidió no hacerlo. Donnal tenía mucho ojo, de eso no había duda, así que tal vez hubiera dado en el clavo.

—En una palabra, sí —respondió.

—Entonces, acepta el caso gratuitamente, desde luego —dijo Donnal—. Si es importante para ti, también lo es para nosotros. Confío en tu criterio, hijo —le aseguró—. Ahora, si no te importa, tengo una cita con una abatida viuda para determinar hasta qué punto llega de verdad su abatimiento.

—Le dejo —dijo Steve, dirigiéndose ya hacia la puerta—. Y gracias.

Donnal se rio, quitando importancia a sus palabras.

—No hay de qué. Nos has hecho ganar dinero suficiente para darte un poco de margen. Espero que esto salga tan bien como crees.

—Saldrá bien, señor Donnal —prometió con entusiasmo—. Tengo una corazonada.

Capítulo 12

COMO había notado el malestar de Erin al visitarlo en su despacho y quería tranquilizarla, cuando llamó para pedirle que se vieran le sugirió que quedaran en la cafetería a la que habían ido después de su charla en el colegio de Jason.

Pero en lugar de sentirse relajada en aquel escenario neutral, Erin se puso tensa en cuanto entró y vio que Steve ya estaba sentado a una mesa.

Él la saludó con la mano y, al acercarse, Erin se convenció de que había elegido aquel lugar público porque temía que le montara una escena si lo que se disponía a decirle no era de su agrado.

—Me he tomado la libertad de pedir para ti lo mismo que la última vez —le dijo él, indicando el café y la napolitana que había en su lado de la mesa.

Erin no tenía ni pizca de apetito, pero le sorprendió y la enterneció que se acordara de lo que había pedido ese día. Tomó asiento y estaba a punto de decirle que entendía que no quisiera hacerse cargo del caso cuando Steve dijo:

—El bufete ha accedido a encargarse de tu caso gratuitamente.

Erin se quedó sin habla un momento. Luego preguntó:

—¿En serio?

Steve le sonrió.

—En serio.

Erin recordó entonces sus palabras y sintió cierto recelo.

—El bufete —repitió—. Pero ¿tú no?

Él se apresuró a explicar:

—No, no, yo también, claro —le aseguró—. Seré yo quien se encargue de representarte.

Antes de permitirse exhalar un suspiro de alivio, Erin tenía una última pregunta que hacerle:

—Gratuitamente. ¿Significa eso que no tendré que pagaros nada? —preguntó.

—Sí.

Erin sacudió la cabeza. Por más que lo necesitara, tenía que rechazarlo. Lo exigía su autoestima.

—Gracias, pero no.

—No entiendo —dijo Steve.

—Estoy desesperada —repuso ella con franqueza—, pero no tanto —lo miró a los ojos—. No puedo ni quiero aceptar obras de caridad —su oferta la había conmovido, pero no quería estar en deuda con él.

Aun así, el hecho de que estuviera dispuesto a ayudarla la llenó de contento y consiguió remover dentro de ella algo que estaba, se dijo, fuera de lugar en aquellas circunstancias.

—No se trata de caridad, Erin —insistió Steve. —No voy a pagarte por tus servicios, ¿no?

—No —reconoció—. Pero...

—Si eso no es caridad —lo interrumpió ella—, ¿qué es?

Steve no vaciló.

—Un trato justo. Me dijiste que vas a los hospitales en Nochebuena y el primer día de las vacaciones de verano para repartir tus dinosaurios entre los niños, ¿verdad?

—Sí, pero...

—Pues ayudarte a solucionar este asunto es mi forma de agradecértelo —no estaría siendo del todo sincero con ella si no le decía la segunda parte—: Y también de dar al bufete un caso del que ocuparse gratuitamente.

—En otras palabras, caridad —concluyó ella.

—Al permitir que mi bufete te represente, nos estarás haciendo un favor porque eso nos dará una publicidad excelente, y al mismo tiempo nosotros te estaremos haciendo un favor a ti al destapar a ese chantajista —le dijo—. Dijiste que el padre de un niño con cáncer había hecho un reportaje muy favorable sobre tu empresa y que fue así como despegó tu carrera, ¿verdad?

Erin lo miró, confusa. ¿Adónde quería ir a parar?

—Sí, pero...

Steve se inclinó hacia ella y pareció olvidarse de todo lo que los rodeaba.

Erin lo miró intensamente. Sintió el olor de la colonia que llevaba, se fijó en cómo se arrugaban ligeramente sus ojos por las comisuras.

—¿Qué te parece si te pones en contacto con él y le cuentas lo que está pasando? —propuso Steve.

—¿Para qué? —preguntó ella—. Tuvo la amabilidad de hacerme la publicidad que necesitaba en ese momento para que la gente conociera mi producto. No quiero devolverle el favor pidiéndole otro.

Steve intentó no mirarla con asombro.

¿Era real aquella mujer? Todas las mujeres que había conocido últimamente eran egoístas y calculadoras. Erin era su polo opuesto. Ella sola estaba devolviéndole la fe en la humanidad en general y en las mujeres en particular.

—Sospecho que estará encantado de poder ayudarte después de que le devolvieras la alegría a su hijo. Y no solo eso: esta es la clase de historia de interés humano que le interesa al gran público: el altruismo contra la avaricia. La materia con la que se forjan la reputación y el ascenso social. Y, entre tanto, creo que yo iré a hacerle una pequeña visita a ese tal Wade. Pero primero tengo que aclarar un par de cosas.

Por primera vez desde que Mike le había hablado de la demanda, Erin sintió esperanzas y, con ellas, un ligero alivio. Le dieron ganas de echarle los brazos al cuello y besarlo. Pero sabía que eso abriría la puerta de un lugar en el que le daba miedo adentrarse.

Así que ¿por qué le gustaba tanto pensarlo?

«Contrólate», se dijo, enojada consigo misma.

Pero no sirvió de nada. Su empresa corría peligro y allí estaba ella, fantaseando con el hombre que se había ofrecido a ayudarla.

¿Qué le pasaba?

—No sé qué decir.

Steve se rio.

—Bueno, podrías decir «gracias».

Erin negó con la cabeza.

—No me parece suficiente.

Él se limitó a sonreír.

—A mí sí. Entre tanto... —dijo con un guiño que se clavó como una flecha en el estómago de Erin.

Sintió que se le encogía el estómago de expectación, aunque no sabía muy bien qué esperaba—, no ha cambiado nada, ¿verdad? —añadió Steve mientras se acababa su napolitana—. ¿Lo del domingo sigue en pie?

Ella dijo que sí con la cabeza.

—No me lo perdería por nada del mundo —respondió.

—Eso está bien —dijo con entusiasmo, pero al darse cuenta de que ella podía pensar que la estaba presionando, se apresuró a añadir—: Porque no me gustaría nada desilusionar a Jason.

Sus ojos se encontraron.

—Lo mismo digo —murmuró ella, y bajó rápidamente los ojos.

Steve llamó a A.J. Clarke en cuanto regresó a la oficina.

A.J. y su socio, George Matthews, eran desde hacía cinco años los detectives privados del bufete de abogados. Ambos eran investigadores excelentes, pero A.J. era sin duda el más accesible y flexible de los dos.

—¿Qué ocurre? —preguntó el detective al cerrar la puerta del despacho y acercarse a la mesa de Steve.

Steve fue directo al grano.

—Necesito que localices a un tal Wade Baker.

Quiero saber dónde vive y cuál es su rutina diaria. Dónde trabaja, con quién se relaciona. Si tiene amigos o si es un lobo solitario. En resumidas cuentas, quiero un cuadro completo de la vida diaria de Baker.

—¿Quieres que también me informe sobre su pasado? —preguntó A.J.

De estatura y complexión media, el detective se fundía mejor que nadie con el entorno. Por eso, entre otras razones, era tan bueno en su oficio. A.J. no causaba impresión en los demás... a no ser que quisiera causarla por motivos personales. Entonces la impresión que dejaba era muy nítida. A pesar de su apariencia anodina, era un hombre al que no convenía desdeñar ni tomar a la ligera.

Steve asintió.

—Quizá no sea mala idea —y, sabiendo lo atareado que solía estar el detective, añadió—: Lo necesito lo antes posible. Es para un caso que hay que resolver cuanto antes.

A.J. se levantó y asintió con un gesto.

—Considéralo hecho —afirmó antes de salir.

Todo el mundo sabía que A.J. nunca hacía una promesa que no pudiera cumplir.

—Sabía que podía contar contigo —repuso Steve con una sonrisa satisfecha.

—Entonces, ¿debemos empezar a pensar en refundar la empresa con un logotipo distinto? —preguntó Mike tan pronto Erin entró en la oficina.

Desde hacía cuarenta minutos, Erin sentía un asomo de entusiasmo. Steve le había hecho sentir que todo iba a salir bien.

—Creo que podemos posponerlo un poco —contestó.

—¿Es que has atropellado a Wade con tu coche? —preguntó Neal, esperanzado.

—No, pero he conseguido que un abogado nos represente —les explicó.

—¿Un abogado? —repitió Rhonda.

—¿Podemos permitirnos pagar a un abogado? —preguntó Gypsy desde la puerta.

—Creía que habías dicho que no —añadió Judith.

Erin se volvió para mirar a la auxiliar administrativa y se apresuró a puntualizar:

—El abogado ha aceptado ocuparse del caso gratuitamente.

—Le has hechizado con tu encanto, ¿eh? —preguntó Mike, riendo.

—¿Cómo lo has conseguido? —preguntó Christian.

—¿Os acordáis de esa charla que di en el colegio el otro día? —dijo Erin.

—¿A la que casi no vas? —recordó Mike—. Sí. ¿Qué pasa con ella?

—La otra persona que fue a hablar delante de la clase era un abogado —explicó, pensando que aquello zanjaría la cuestión.

—¿Y queremos un abogado que da charlas delante de una clase de párvulos? —preguntó Mike.

—Eran de segundo curso —puntualizó ella, y añadió con vehemencia—: Y sí que lo queremos.

—Conque sí, ¿eh? —Mike se sonrió.

Erin comprendió por su expresión que le interesaba el asunto.

—No es por nada en especial, Mike —comentó a

pesar de que no estaba tan convencida de eso como quería aparentar. Steve tenía algo que lograba traspasar las barreras que había construido a su alrededor para mantenerse segura—. Es el único abogado que conozco, así que lo llamé para saber si podía darme algún consejo o conocía a alguien que pudiera ayudarnos para que Wade retirara esa absurda demanda. Steve se ofreció voluntariamente a ayudarnos alegando que su empresa podía hacerlo gratuitamente porque le vendría bien la publicidad.

—¿Vamos a poder conocerlo? —preguntó Neal con mucho interés.

Erin se imaginó perfectamente la escena. Habría seis personas hablando al mismo tiempo con Steve. Saldría corriendo, espantado, a los dos minutos.

—¿Y arriesgarnos a que no se ocupe del caso? —respondió—. Ni pensarlo.

—Entonces, ¿cuándo vamos a saber si vamos a poder seguir trabajando aquí? —quiso saber Mike.

—Steve me ha dicho que debemos continuar trabajando como siempre. Comportarnos como si no pasara nada, en resumen —les dijo.

—Ah, así que ahora es «Steve», ¿eh? —preguntó Neal con una sonrisa enorme—. Muy bien hecho, Erin.

Ella hizo caso omiso de su insinuación y contestó muy seria:

—Que yo sepa, ese ha sido siempre su nombre. Bueno, vamos a seguir con nuestros pedidos o a este paso se hundirá la empresa aunque ganemos el caso, ¿entendido? —miró a todos los miembros del equipo.

Fue Mike quien habló primero:

—Entendido, *mein Kapitän* —hizo una saludo marcial y se volvió hacia los demás—. Ya la habéis oído, chicos. Tenemos dinosaurios a los que dar vida. ¡Manos a la obra!

Erin vio con un arrebato de emoción cómo se ponían a trabajar y rezó para sus adentros por que Steve hiciera un milagro. Si no, pronto todo aquello sería cosa del pasado.

Erin pasó el día siguiente pendiente del teléfono. O, mejor dicho, pendiente de su sonido, esperanzada en oír buenas noticias al descolgarlo.

Cada vez que sonaba, ya estuviera en casa o en la oficina, lo agarraba de golpe y lo primero que salía de su boca era siempre el nombre de Steve.

A última hora de la tarde tenía los nervios atacados, pero comprendió que cada vez era más probable que fuera él cuando descolgara el teléfono.

—¿Steve?

Hubo un silencio momentáneo al otro lado de la línea. Luego, una profunda voz masculina preguntó:

—¿Cómo sabías que era yo?

Como Erin había contestado al primer pitido de la línea, supuso que el identificador de llamadas no había tenido tiempo de reflejar el número entrante. ¿Estaba esperando ansiosamente su llamada, o se trataba de otra cosa?

Era ridículo creer que pudiera haber algo más en su actitud, se dijo, y sin embargo...

Pero no, no podía dejarse llevar por su imaginación.

—Bueno, lo he adivinado por pura suerte —contestó ella evasivamente, y enseguida abandonó su actitud despreocupada. Los dos sabían lo importante que era aquel asunto para ella—. ¿Hay alguna noticia sobre mi caso?

—Está progresando —respondió Steve lacónicamente. Le habría encantado decirle que, a su modo de ver, todo iba muy bien. Pero, si al final las cosas se torcían, Erin sufriría más, en su opinión, que si refrenaba sus esperanzas desde el principio.

A pesar de todo, sin embargo, por lo que le había contado A.J., era bastante optimista respecto al resultado del caso. Al parecer Wade Baker era, más que un diseñador estafado, un auténtico chantajista. A.J. le había dicho que estaba verificando cierta información muy reveladora sobre él.

Una vez comprobada esa información, podrían poner fin a aquel asunto.

—Solo te llamo para asegurarme de que vamos a vernos mañana.

—Creía que eso ya había quedado claro.

—Yo nunca doy nada por sentado hasta que pasa.

—Pues esto puedes darlo por sentado. A mí, al menos me vendrá bien divertirme un poco —le dijo Erin.

Steve lo sintió por ella. Erin había puesto su corazón y su alma en aquella empresa y de pronto se hallaba ante el riesgo de perderlo todo, y no por culpa suya. Él sabía lo que era sentir que de pronto el suelo desaparecía bajo tus pies.

—Todo va a ir bien, Erin —le dijo suavemente, y añadió en voz más alta—: No sabes hasta qué punto ha cambiado Jason gracias a ti y a tu dinosaurio.

«Y no solo Jason, sino mi vida también», añadió para sus adentros.

En voz alta dijo:

—Te recojo mañana a las diez, si te parece bien.

—Me parece perfecto —contestó ella.

—Entonces, ¿no tiene trabajo fijo? —le preguntó Steve a A.J. mientras leía por encima el informe que le había llevado el detective.

—No, hasta donde yo he podido averiguar. No lo ha tenido desde que tu clienta lo despidió hace seis meses —A.J. se recostó en la silla, mirando a Steve—. Ha ido saltando de trabajo en trabajo. Tres, que yo haya contado. Actualmente es vigilante nocturno a tiempo parcial en un centro comercial de Newport Beach. No es precisamente neurocirugía, y ya le han llamado la atención una vez por quedarse dormido durante su turno. De día se reúne con unos tipos que parecen amigos suyos en un bar desde el que se puede ir andando a su apartamento. O haciendo eses, mejor dicho —añadió el detective.

Steve observó las fotografías que había hecho de Baker. Le pareció estar mirando una vida desperdiciada.

Miró a A.J. con el ceño fruncido.

—Parece todo un perdedor —comentó.

—Y eso no es todo. Ha estado alardeando delante de sus presuntos amigos de que pronto va a tener dinero a lo grande. Cuenta con ello y no va a darse por vencido fácilmente.

Steve tenía que preguntarlo, aunque no quería hacerlo. Cuanto más se relacionaba con Erin, más le gustaba. No quería saber nada que pudiera hacerle cambiar de idea. Pero, como abogado, sabía que lo primero eran los hechos.

—¿Hay algo que sustente su acusación de que ella le robó la idea del juguete?

—He hecho indagaciones sobre la vida de ambos —repuso A.J.

Steve sintió de pronto que, bajo sus pies, el suelo se convertía en una maraña de alfileres y agujas.

—¿Y?

—Tu clienta tiene una reputación impecable. No he encontrado a nadie que hablara mal de ella. Ese tipo, en cambio, es otro cantar. Por lo visto intentó chantajear a una mujer con la que estaba liado. Le amenazó con contárselo al marido cuando ella le dejó.

—¿Qué ocurrió?

—Una historia interesante. Ella se sinceró con el marido. Él la perdonó, llamó a la policía y Baker fue detenido. Finalmente retiraron la denuncia a cambio de que Baker se comprometiera formalmente a no volver a acercarse a ninguno de los dos. Así que no es la primera vez que intenta algo así —concluyó el detective—. ¿Quieres que hable con él, que le diga a qué se enfrenta si sigue adelante con esto?

—Gracias, pero creo que voy a encargarme yo mismo de este asunto —le dijo Steve, y sonrió al ver la mirada escéptica de A.J.—. Tampoco sería la primera vez —dejó caer el informe sobre la mesa y miró fijamente al detective—. Gracias por resolverlo tan pronto.

El detective se encogió de hombros.

—Tú no sueles meternos prisa. Supuse que era algo importante.

Steve miró el informe. Pensó en el miedo que había advertido en los ojos de Erin cuando le había hablado de la demanda.

—Lo es.

—¿Algo personal? —aventuró A.J.

En lugar de negarlo, Steve sonrió.

—¿Por qué lo preguntas?

El detective abrió las manos como si la respuesta fuera evidente.

—Soy investigador.

Steve sonrió.

—Esta clienta es toda una señora, no sabe jugar sucio. Es una de esas personas a las que jamás se les ocurriría hacer daño a nadie o mentir, y no entiende que los demás puedan hacerlo. Estaba casi seguro de que la demanda no tenía fundamento, pero también me daba la sensación de que podía ser difícil demostrarlo. Solo quería estar absolutamente seguro de que la acusación de ese tipo es un embuste, y de que no había ningún asunto que pudiera tergiversar para fundamentarla.

El detective se levantó de su silla.

—Me alegra haber podido ayudar. Ah, y si a tu clienta no le importa, a mi hijo de cinco años le vuelven locos los dinosaurios. Le encantaría tener uno de los que fabrica. El del sombrero de vaquero —concretó. Al ver que Steve lo miraba sorprendido sonrió de nuevo—: Como te decía, soy investigador.

Steve se rio.

—En efecto, A.J., eso eres. Hablaré con ella —prometió.

—Vale. Y si cambias de idea sobre tener una charla con esa escoria, mi oferta sigue en pie.

—Lo tendré en cuenta —prometió Steve. Pero estaba deseando ocuparse en persona de aquel asunto.

Steve se pensó si sería conveniente enfrentarse cara

a cara con Baker lo antes posible. De un modo u otro, Erin merecía saber si tenía algo de lo que preocuparse.

Pero, si sucedía algo imprevisto y el enfrentamiento con Baker se torcía, prefería no tener que contárselo antes de que fueran al cine al día siguiente. No quería arriesgarse a arruinarle el día a su hijo... ni a sí mismo.

Aquella era no solo la primera cita a la que iba a acompañarle su hijo, lo cual ya era muy raro en sí mismo, sino también la primera vez que una mujer le pedía que llevara al niño. Para él, aquello era extraordinario.

Cada vez que había sugerido a las mujeres con las que había salido previamente incluir a su hijo en algún plan, ellas se apresuraban a cambiar de tema o parecían decepcionadas y perdían de inmediato el interés. Ninguna de ellas parecía dispuesta a reconocer la verdad: que Jason y él eran una unidad indivisible.

Así había sido hasta que había aparecido Erin.

Steve quería que aquella cita saliera bien. Ya le hablaría después de su enfrentamiento con Baker.

Imaginaba que eso lo convertía en un egoísta.

Pero, por otro lado, también dejaba bien claro que era, ante todo, un padre.

Capítulo 13

CREES que él también estará? —preguntó Jason.

Steve no tuvo que mirar por el espejo retrovisor para saber que su hijo se removía inquieto en la silla del coche. Lo notaba por su tono de voz. Aun así, lo miró a los ojos a través del espejo.

—¿Quién? —preguntó.

—Tex —contestó Jason con impaciencia, como si su padre hubiera tenido que saberlo desde el principio—. ¿Crees que estará en casa de Erin? ¿Vive con ella? ¿Y los otros dinosaurios, los que llevó a mi clase? ¿Crees que también viven con ella? ¿O tienen su propia casa?

—Buena pregunta —le dijo Steve—. Pero desconozco la respuesta —tenía la sensación de que Erin estaba mucho mejor equipada que él para despejar las dudas de su hijo.

Al llegar a la esquina siguiente torció a la derecha. Había programado el GPS antes de salir de casa, pero también había revisado la ruta varias veces en el mapa de carreteras que guardaba en el coche para casos de emergencia. Hasta los aparatos más sofisticados fallaban a veces. El papel, en cambio, no.

—Vamos a llegar enseguida —le dijo a Jason—, así que puedes preguntárselo a ella.

Jason, por su parte, ya había decidido que la respuesta a la primera pregunta era sí.

—¿Crees que traerá a Tex cuando vayamos al cine?

—Otra pregunta que puedes hacerle a ella —le dijo Steve.

No estaba evitando darle una respuesta: estaba preparando el terreno para que interactuara con Erin. Tenía que reconocer que le gustaba verlos juntos. Reforzaba su sensación de que con aquella mujer iba por buen camino.

—Tex júnior quiere hablar con su papá —declaró Jason de repente.

Steve se sonrió. Se lo tomó como otro síntoma de que su relación con su hijo había mejorado mucho, gracias a Erin y a su dinosaurio.

—Eso siempre es bueno —comentó—. Los padres y los hijos tienen que hablar. Ah, ahí está su casa, justo delante —señaló.

Jason ladeó la cabeza para mirar la casa de dos plantas.

—Parece una casa normal —observó.

Steve notó una nota de desilusión en su voz.

—Bueno, es que está disfrazada.

—¿Disfrazada? —repitió Jason, animándose de repente.

—Ajá. Así la gente no sabe dónde viven los dinosaurios y no les molestan. Si no, Tex y sus amigos no podrían descansar ni un momento.

El niño tardó un momento en asimilar la noticia. Luego puso cara de que todo encajaba. Sonrió de oreja a oreja.

—Ah.

«Dios mío», pensó Steve, estaba inventando cosas sobre la marcha. Quizá se le estuviera pegando algo de Erin. Le gustaba la idea.

Acababa de parar junto a la acera cuando Jason comenzó a suplicarle:

—¡Desabróchame, papá! ¡Desabróchame! ¡Date prisa!

—Tranquilo, amiguito. Primero tengo que parar del todo.

—¡El coche ya está parado, ya está parado! —gritó Jason muy nervioso—. ¡Tex júnior quiere ver a su papá enseguida!

Steve salió, abrió la puerta de atrás y comenzó a desatar el cinturón de la silla de su hijo. Tal vez había dado demasiada importancia a aquella cita. Quería que su hijo estuviera preparado, por si se llevaba una desilusión.

—¿Sabes?, todavía no estamos seguros de lo de Tex, Jason. Puede que no esté aquí —le advirtió.

Jason puso cara de abatimiento.

—¿Y dónde puede estar, papá?

Steve dijo lo primero que se le ocurrió.

—Bueno, puede que haya ido al parque. A los dinosaurios les gustan los parques —añadió como si aquello zanjara la cuestión.

Mientras desabrochaba el cinturón, vio que su hijo

abría desmesuradamente los ojos, mirando algo que había detrás de él.

—¡No, papá, no! —gritó Jason—. ¡Mira! ¡Está ahí!

Al darse la vuelta, Steve vio que Erin salía de casa llevando en brazos al dinosaurio. Tenía un sexto sentido, pensó él agradecido.

—Justo a tiempo —declaró Tex, y les saludó con una inclinación de cabeza. Luego giró la cabeza para mirar a Erin—. Te dije que llegarían puntuales —le dijo.

Erin hizo un gesto afirmativo, sonriendo.

—Le he dicho a Tex que a lo mejor llegabais tarde —explicó.

—Papá ha venido muy despacio, pero yo le he dicho que se diera prisa —le dijo Jason. Sujeto todavía a la silla, se inclinó para mirar al dinosaurio—. ¿Tex va venir con nosotros?

—Claro que voy a ir. No me lo perdería por nada del mundo —Erin hizo que el peluche se inclinara hacia el coche—. Y veo que has traído a Tex júnior. ¿Se ha portado?

—Claro —contestó Jason, muy serio.

Erin miró a los ojos a Steve. Al instante sintió que un agradable calorcillo se difundía por su cuerpo.

—Voy a buscar mi bolso y a cerrar la puerta —dijo—. Enseguida vuelvo.

En cuanto se volvió, Jason se bajó de un brinco del coche.

—Va a traer a Tex, papá. ¡Va a traer a Tex! Te lo dije —gritó contentísimo.

—Sí, tenías razón —respondió su padre. No veía razón para decirle que él mismo había dudado de que así fuera apenas unos minutos antes.

Pero Erin surtía ese efecto sobre la gente, pensó. Hacía salir lo positivo de todo el mundo.

En un plazo increíblemente corto, se había convertido en un referente para su hijo y, pasara lo que pasara entre ellos, eso siempre se lo agradecería.

Aunque ya había puesto sus miras en algo más.

—Todo arreglado —declaró Erin al volver al coche. Puso la mano en el tirador de la puerta del copiloto, pero al ver la cara esperanzada del niño, se lo pensó mejor—. ¿Sabes?, voy a ir detrás con Jason y Tex júnior si no te importa —le dijo a Steve.

Montó, puso a Tex a un lado y volvió a abrochar el cinturón a Jason. Steve, que también se había fijado en la expresión ilusionada de su hijo, vio la alegría reflejada en su rostro cuando Erin se sentó a su lado.

No había otra como ella entre un millón, pensó.

—No me importa en absoluto —contestó, y sin alzar la voz le dijo «gracias».

La sonrisa que recibió a cambio lo convenció de que ella lo había entendido alto y claro.

Entre dos millones, quizá, puntualizó para sus adentros mientras ponía en marcha el coche.

La película duró una hora y cuarenta y dos minutos, pero se les pasó volando. Casi sin darse cuenta, se encontraron saliendo del cine.

Como no quería que la cita acabara tan pronto, Steve se sorprendió sugiriendo que comieran en uno de los pequeños restaurantes que había dispersos alrededor de los cines, en el centro comercial al aire libre.

—A no ser que no tengas tiempo —se sintió obligado a añadir, por si acaso ella sentía que ya había cumplido de sobra con su deber al pasar más de una hora y media sentada viendo una película de dibujos animados.

Quería que supiera que podía marcharse si quería.

Erin no tuvo que bajar la mirada para saber que Jason estaba conteniendo la respiración mientras esperaba su respuesta. Como no quería que se asfixiara, se apresuró a responder:

—He decidido declarar el día de hoy libre de trabajo.

Jason dio un brinco y gritó:

—¡Pizza! ¡Yo y Tex júnior queremos pizza! —los miró a los dos, buscando refuerzos.

—Tex júnior y yo —le corrigió ella suavemente.

—¿Tú también? —exclamó el chico, encantado—. Somos tres, papá.

Erin abrió la boca para aclarar el malentendido, pero decidió dejarlo pasar de momento. Con un poco de suerte, tendría más oportunidades de enseñarle gramática.

—Cuatro, más bien —dijo—. Porque a Tex también le gusta la pizza.

—¿Has oído, papá? —Jason se volvió hacia su padre con ojos chispeantes.

—Claro que sí —contestó Steve, mirando a Erin y pensando que aquella charla en el colegio había sido posiblemente una de las casualidades más afortunadas de su vida—. Entonces creo que hay unanimidad.

—¿Qué unani... unani...? ¿Qué es eso, papá? —preguntó Jason.

—Significa que estamos todos de acuerdo —le dijo Erin—. Y eso es bueno.

Jaso no necesitó más.

—¡Sí! —gritó—. ¡Pizza para todos!

Sin pensarlo, dejándose llevar por un impulso, Erin abrazó al niño.

Jason pareció resplandecer.

—Creo que es la primera vez que lo veo completamente rendido —susurró Steve unas siete horas y media después.

Se refería a Jason. Su hijo se había quedado dormido en el sofá en medio de una frase, mientras les estaba explicando algo acerca de un videojuego al que estaba jugando con Erin: un videojuego educativo que ponía a prueba la memoria del jugador en lugar de su rapidez a la hora de exterminar alienígenas.

El videojuego, en el que aparecía un grupo de dinosaurios inspirados en sus creaciones, había sido sugerencia de Erin. Su empresa estaba pensando en comercializarlo en un futuro cercano, y Jason se mostró encantado de poder probarlo.

—Bueno, teniendo en cuenta que no ha parado desde esta mañana, imaginaba que en algún momento se quedaría sin fuerzas. Hasta los niños hiperactivos acaban por cansarse —le dijo a Steve. Luego, al ver que él no asentía, preguntó—: ¿Tú no te cansabas de pequeño?

Negó con la cabeza.

—La verdad es que no recuerdo casi nada de mi infancia.

—¿En serio?

—En serio —le aseguró.

—Qué pena —comentó ella. Sin esos recuerdos, le sería difícil identificarse con muchas de las cosas por las que estaba pasando su hijo—. Algunos de mis recuerdos más bonitos pertenecen a mi infancia.

—Imagino que es una suerte para los niños —comentó él pensando en los juguetes que creaba—. Y para mí —añadió con énfasis, pensando en lo que había logrado con Jason.

Miró a su hijo dormido y sonrió. Había sido un buen día para los Kendall.

—Creo que será mejor que lo suba a la cama.

—¿Te importa que te ayude? —preguntó ella.

Steve se quedó mirándola un momento. Luego sonrió.

—Creo que me gustaría.

La precedió por las escaleras, llevando a Jason en brazos, y al llegar a la habitación de su hijo lo depositó en la cama. Erin desató los cordones de sus zapatillas y se las quitó despacio para no despertarlo. Las puso junto a la cama.

Vio por el rabillo del ojo que Steve sacaba un pijama de un cajón de la cómoda.

—¿Por qué no lo tapas con una manta? —preguntó impulsivamente—. Si empiezas a desvestirlo, es muy posible que se despierte —sonrió al niño cariñosamente—. No hay nada de malo en que duerma vestido. A su edad, es divertido despertarse con la ropa puesta.

—¿Te acuerdas de eso? —preguntó él con el pijama en la mano.

Ella asintió.

—Por eso lo digo —contestó.

—Está bien, entonces vamos a dejarlo con la ropa puesta —declaró Steve esbozando una sonrisa mientras volvía a guardar el pijama. Arropó el cuerpecillo de su hijo con una manta. A la mañana siguiente aquello iba a parecerle genial, pensó.

—Casi se me olvidaba lo más importante —dijo Erin de pronto. Antes de que Steve pudiera preguntarle qué era, metió a Tex júnior debajo de la manta, junto a Jason.

Se apartó de la cama y contempló la apacible estampa que habían creado entre los dos. Tenía una expresión difícil de interpretar, pensó Steve y, picado por la curiosidad, preguntó:

—¿En qué estás pensando?

—Estaba pensando que yo podría tener también un par a estas alturas —reconoció ella.

—¿Un par de hijos, quieres decir?

Asintió con la cabeza.

—Sí —lo miró sonriendo—. De gente menuda.

—No se te ha pasado el arroz, precisamente —señaló Steve.

Ella inclinó la cabeza.

—Lo sé, lo sé, pero hay algunos detallitos sin importancia que me lo impiden.

Steve dejó encendida la luz del cuarto de Jason y cerró suavemente la puerta. Aún más curioso que antes, continuó la conversación en el pasillo.

—¿Detallitos sin importancia? —repitió.

—Sí: encontrar pareja, enamorarme, que él se enamore de mí... —dijo—. Y luego está, claro, ese paso que hay que dar y que da tanto miedo.

Intrigado, Steve preguntó mientras bajaban la escalera:

—¿Cuál?

Erin tomó aliento antes de contestar:

—Casarse.

—No tiene por qué dar miedo —a él no se lo había dado. En su caso había sido lo más natural del mundo.

—Para ti es fácil decirlo —arrugó el ceño—. Ya has pasado por eso.

—Bueno, no nací casado, que se diga —contestó. Luego se le ocurrió una idea repentina—. ¿Nunca has estado enamorada, Erin?

Ella apretó los labios, dudando de nuevo si debía responder. Steve, seguramente, pensaría que era una especie de bicho raro si le decía la verdad.

Intentando ganar tiempo mientras se le ocurría una idea, preguntó:

—¿Sinceramente?

—Claro.

—Pues no —contestó con un suspiro, apartando la mirada.

Steve le puso un dedo bajo la barbilla y le hizo volver la cara para que lo mirara de nuevo.

—¿Nunca? —preguntó incrédulo.

Ella tenía razón. Estaba pensando que le pasaba algo raro. Intentó convertir aquello en una broma.

—¿Batman cuenta?

—¿Cuántos años tenías? —preguntó él.

—Once, casi —le dijo.

A esa edad se estaba formando la mujer que sería al cabo de pocos años. Nadie creía en superhéroes de cómic con once años.

—No —contestó, sofocando la risa. Luego dijo un poco más serio—: Puede que nunca hayas salido con la persona adecuada.

Erin desvió de nuevo la mirada.

—Puede que nunca haya salido con nadie.

Aquello le hizo pararse en seco. Por un instante, se convenció de que no había oído bien.

—¿Qué?

¿Cómo podía explicárselo sin parecer una perfecta pánfila? Decidió reconocer la verdad, sin adornos ni excusas.

—Cuando me recuperé y salí del hospital, sentí que me había quedado muy rezagada en todos los aspectos, también en mi relación con los demás. Intenté recuperar el tiempo perdido, pero, en fin... —se encogió de hombros—. No se me daba muy bien relacionarme con gente de mi edad. La experiencia que había tenido había hecho que perdiera sincronía con el resto del mundo. Por eso seguramente me volqué en la fabricación de Tex y de los dinosaurios que vinieron después. Hacerlo me ayudaba a llenar un vacío que había en mi vida. Los dinosaurios eran como mi alter ego, mis amigos, si quieres. Acabé hablando con ellos y abriéndoles mi corazón cuando nadie me oía —confesó.

Steve no lo entendía. Aquella mujer con la que acababa de pasar el día era cariñosa, generosa y, sobre todo, divertida. La había visto relacionarse con sus compañeros de trabajo y no había indicio alguno de que fuera tan poco desenvuelta como aseguraba.

—Pero ¿qué me dices de la gente que trabaja contigo? Dijiste que erais amigos en la universidad y estoy seguro de que te llevas bien con todos ellos. Estoy seguro de que todos harían cualquier cosa por ti.

Ella sonrió.

—Sí, nos llevamos bien, pero es precisamente por eso: porque somos amigos. Nunca he salido con uno de ellos. Eso se da por sobreentendido. Nos queremos como si fuéramos familia.

—Vale, puedo entender que solo seáis amigos, pero me cuesta creer que una mujer tan guapa como tú nunca haya tenido pareja.

—Yo no soy guapa.

—Sí que lo eres —insistió Steve. Cuando ella abrió la boca para protestar, añadió—: Por dentro y también por fuera —debido a que sus emociones parecían chocar las unas contra las otras, experimentó un momento de flaqueza y se permitió acariciar su cara—. Si te hubiera conocido en otras circunstancias... —se interrumpió mientras luchaba con su frustración.

—¿Qué? —susurró Erin, cautivada por su mirada—. Si me hubieras conocido en otras circunstancias, ¿qué?

—Si te hubiera conocido en otras circunstancias, ahora mismo sentiría la tentación de besarte. Pero eres mi clienta —añadió, obligándose a bajar la mano—. Así que no puedo.

Ella, sin embargo, no estaba dispuesta a retroceder. Dentro de ella se agitaba algo que la impulsaba a seguir adelante.

—¿Besarme pondría en peligro mi caso?

—No —contestó él con voz pastosa—, pero...

Erin se había preguntado en ocasiones qué se estaba perdiendo, pero en realidad nunca había deseado besar a nadie, ni que la besaran.

Hasta ahora.

Armándose de valor, se oyó decir:

—Entonces, ¿qué te lo impide?

—Es una cuestión ética —repuso él, aunque cada vez le costaba más ceñirse a sus principios. La cercanía de Erin tentaba cada fibra de su ser. Le hacía recordar que era algo más que un padre, un hijo, un abogado. Que seguía siendo un hombre con deseos.

—Pero ¿y si yo te dijera que me parece bien? —preguntó ella con un susurro apenas audible—. Entonces, ¿me besarías?

Técnicamente no estaría bien, con o sin su permiso. Pero allí había en juego mucho más que simples tecnicismos. Había un vínculo que Steve había perdido la esperanza de volver a encontrar.

Un vínculo que parecía haberse desarrollado por sí solo, sin ningún esfuerzo por su parte.

Si dejaba pasar aquel instante, aquella posibilidad de explorar lo que podía ocurrir entre ellos, tal vez nunca pudiera recuperarla. Lo que sentía era algo extraño y precioso, algo difícil de encontrar.

Algo repleto de posibilidades.

A pesar de que deseaba seguir adelante, dejó que fuera ella quien diera el primer paso.

—¿Quieres que lo haga? —preguntó.

A Erin, el corazón le latía tan fuerte que le sorprendió que él no lo oyera... o que no se le saliera del pecho y cayera a los pies de Steve. Porque le pertenecía, estaba claro como el agua.

Sin dejar de mirarlo a los ojos, respondió en voz baja:

—Sí.

Capítulo 14

MIENTRAS Steve deslizaba los dedos suavemente por sus mejillas y luego entre su pelo, acercándose a su boca, Erin se dejó llevar por aquel instante.

Y se armó de valor.

Su pulso se aceleró cuando Steve fue haciendo el beso cada vez más hondo, poco a poco, hasta que se extravió por completo en él, consumida por el deseo.

Le daba vueltas la cabeza. Clavando los dedos en los hombros de Steve, intentó ansiosamente sujetarse a algo sólido para no hacer el ridículo si de pronto le fallaban las piernas. Empezaba a sentir que tenía las rodillas de gelatina y que apenas la sostenían.

La envolvió una sensación indescriptible que parecía vibrar en todo su cuerpo. Una sensación tan prodigiosa y dulce como había soñado hacía tiempo.

¿De aquello se trataba? ¿De la emoción, del encuentro entre dos almas que se pertenecían? Se había resignado a hacer juguetes que hacían salir lo mejor de los niños, que hacían felices a esos niños que ella nunca tendría. Había renunciado a toda esperanza de encontrar aquella dicha, de llegar a experimentar alguna vez aquella sensación.

Menos mal que se había equivocado.

Poniéndose de puntillas, se sintió como si se precipitara en caída libre en el espacio y se aferró con todas sus fuerzas a Steve y al beso que estaban compartiendo. Su cuerpo ardía, frenético, urgiéndola a no detenerse, a seguir adelante porque aquello tal vez no volviera a ocurrirle.

Tenía que parar, se dijo Steve.

Tenía que parar antes de que perdiera por completo la capacidad de pensar, de dominar los deseos que se habían apoderado de él, haciéndolo prisionero.

Haciendo un enorme esfuerzo, puso las manos sobre los hombros de Erin y apartó la cabeza.

La mirada de desconcierto y de desilusión que vio en sus ojos estuvo a punto de hacerlo flaquear, pero logró dominar sus emociones.

Tardó varios segundos en recuperar el habla.

—Voy a pedirle a mi vecina que se quede con Jason y te llevo a casa.

Erin deseó que se la tragara la tierra. ¿Cómo podía pasar un ser humano de bordear el éxtasis a sentirse tan vacío, tan desolado, en una fracción de segundo?

Aunque tenía ganas de desaparecer y de olvidar todo aquello, tenía que saberlo, tenía que preguntar. Si no, aquello la atormentaría toda la vida.

—¿He hecho algo mal?

—¿Mal? —preguntó, incrédulo, mirándola con sorpresa—. Dios mío, no. Si lo hubieras hecho un poco mejor, habrían tenido que apartarme de ti con dinamita.

Aquello no aclaraba nada. En todo caso, la confundió aún más.

—Entonces, ¿por qué vas a llevarme a casa?

—Porque esto —movió la mano, incluyéndolos a ambos en su gesto— no puede pasar entre nosotros.

«Pero ¿por qué?», gritó su mente.

—¿No quieres que pase?

Para ganarse la vida hablando sucintamente y yendo siempre al grano, lo estaba haciendo fatal, se reprochó Steve a sí mismo.

—Lo que no quiero es que te arrepientas al echar la vista atrás.

¿Era eso? ¿Temía estar seduciéndola? ¿Despojándola de su voluntad? No podía estar más equivocado.

—De lo único que voy a arrepentirme —dijo enunciando cada sílaba con cuidado— es de marcharme a casa ahora.

Steve deseó con toda su alma poder creerla, pero no podía hacerlo.

—No sabes lo que estás diciendo.

Erin se rehizo lo mejor que pudo, revistiéndose de dignidad.

—No estoy drogada, ni borracha. Sé perfectamente lo que digo. Pasado cierto punto, al ver que no me pasaba, pensé que todas esas historias sobre flotar en el aire y sentir que te atraviesan un millón de emociones y que te da vueltas la cabeza y te tiemblan las rodillas no eran ciertas. O que al menos no lo eran en mi caso.

»Si Wade se puso tan furioso conmigo fue, en parte, porque no quise acostarme con él. Lo rechacé cuando intentó besarme. No quería que lo hiciera. No sentía nada cuando estaba cerca de mí —lo miró enfáticamente—. Contigo es distinto. Contigo he sentido algo. Y cuando me has besado, he sentido como si me elevara en el aire como nunca había soñado hacerlo. Así que, a menos que te estés arrepintiendo de esto, por favor, no hagas que me...

No tuvo ocasión de acabar, porque, al igual que había hecho antes, Steve deslizó las manos por su cara.

Esta vez, sin embargo, el beso no empezó despacio para ir floreciendo lentamente.

Esta vez, la pasión, el deseo, estuvieron presentes desde el principio, derrumbando todas las barreras, todos los muros que había erigido.

Y mientras besaba a Erin, mientras permitía que la pasión a la que había renunciado estallara de pronto, ella se inclinó contra él. Y Steve comprendió que estaba haciendo suyos cada vibración, cada matiz, cada oleada de deseo y de emoción que estaba compartiendo con ella.

Aferrada a él, sintiendo el latido desbocado de su corazón, Erin notó vagamente que ya no tenía los pies en el suelo y pensó por un instante que había sido catapultada a otra esfera. Entonces se dio cuenta de que Steve la había levantado en brazos y estaba llevándola hacia las escaleras. Apenas capaz de respirar, logró echar la cabeza hacia atrás un momento.

Steve pensó fugazmente que había cambiado de idea. Pero, al ver la ancha sonrisa y la mirada soñadora de Erin, comprendió que no era así.

—¿Cómo lo has sabido? —susurró ella, y su aliento rozó el cuello de Steve, excitándolo aún más.

—¿Saber qué?

—Que mi pasaje favorito de *Lo que el viento se llevó* es cuando Rhett lleva a Escarlata por la escalera. Lo he leído una y otra vez, una docena de veces —reconoció.

Él no quiso arruinar aquel instante diciéndole que no tenía ni idea de que estuviera enamorada de aquel pasaje. Le sonrió y dijo:

—Me lo he imaginado —en el calor del momento, podía perdonársele que dijera una mentirijilla, en lugar de revelarle que tenía que subir las escaleras porque su habitación estaba en la primera planta.

Como hombre soltero, el deseo salvaje que latía en sus venas lo habría conducido a tomarla allí mismo, en el cuarto de estar. Pero como padre, la sensatez tenía que imponerse hasta cierto punto al deseo, por ardiente y arrollador que fuera este.

Volvió a besarla antes de llegar al descansillo. Erin lo estaba volviendo loco, pensó sin poder evitarlo. Pero loco en el buen sentido.

Una vez en su habitación, cerró la puerta con la espalda y depositó a Erin de pie en el suelo en lugar de tumbarla en la cama. Quería darle la oportunidad de cambiar de idea en cualquier momento o de poner freno a lo que estaba ocurriendo, aunque deseaba de todo corazón que no lo hiciera.

Pero Erin se aferró a él y sus labios respondieron febrilmente a los suyos, y acabaron en la cama menos de dos segundos después. Steve no sabía cómo habían llegado hasta allí, si había sido él quien la había llevado o al revés.

Era una danza ejecutada entre los dos.

Steve no carecía de experiencia, ni mucho menos,

pero aun así el encuentro que siguió lo dejó sin respiración.

Erin respondió a cada pasada de su mano, a cada beso que sus labios depositaron sobre su cuerpo desnudo. Cada vez que la tocaba, cada vez que la besaba, lograba aumentar su propia excitación, hasta que temió que entre los dos prendieran fuego a la cama sin darse cuenta.

Fue lo más parecido a una experiencia ultracorporal que había tenido nunca Erin.

Nada, nada de lo que había sentido en su vida podía compararse con aquello. Dentro de ella sucedieron cosas, se agitaron deseos, ansias, emociones, sensaciones descarnadas, que ni siquiera pudo identificar o clasificar.

Solo sabía que quería que aquella locura continuara mientras fuera humanamente posible. No le importaba no haber llegado nunca tan lejos, no haber querido nunca llegar tan lejos. En aquel instante, ansiaba conocer lo que se sentía al pertenecer a otra persona, al fundirse con otro mientras durara aquella unión física.

Hasta ese momento, nunca le había importado pertenecer a un grupo muy pequeño de gente que en la vida había hecho el amor físicamente. Ahora, en cambio, ansiaba dejar todo eso atrás, porque había encontrado a un hombre al que quería entregarse aunque fuera por un corto espacio de tiempo.

Sabía que hacer el amor no era una promesa de amor eterno. Se trataba de placer, y de cariño por su parte, porque, de no haber habido afecto, un afecto profundo, nada de aquello habría sido posible.

Tenía todo el cuerpo empapado de sudor y palpitante cuando Steve, por fin, se irguió sobre ella y se apoyó sobre las manos. Bajando lentamente, primero selló la boca de Erin con la suya y luego la penetró.

En ese preciso momento se detuvo, estupefacto.

Erin vio que abría los ojos bruscamente, advirtió la sorpresa que reflejaban. Supo que al instante siguiente todo se detendría. Todo habría terminado.

No podía soportar que eso ocurriera, así que levantó las caderas insistentemente, moviéndose de tal forma que, a pesar de sus buenas intenciones, Steve no pudiera resistirse al atractivo de su cuerpo.

El dolor que la atravesó cuando se hundió en ella se desvaneció casi tan rápidamente como había aparecido. El ardor, el deseo, las emociones regresaron centuplicadas, apoderándose de ella y llevándola a un lugar que, aunque fuera brevemente, hizo suyo... porque Steve también estaba en él.

Steve movió las caderas cada vez más aprisa y ella mantuvo el ritmo, ansiosa por alcanzar el lugar en el que él había estado tantas veces antes, pero nunca con ella.

Hasta ahora.

Cuando por fin estalló, envolviéndola, el placer que experimentó superó todo cuanto esperaba. Dejó que la euforia la embargara por completo, aferrándose a aquella sensación.

Porque sabía que, tan pronto volviera a la tierra, habría preguntas que responder y, lo que era peor aún, tendría que enfrentarse a la decepción de Steve.

Con un esfuerzo casi sobrehumano, intentó olvidarse de aquello, a pesar de que en el fondo sabía que no le sería posible.

Volvió a tierra sin hacer ningún ruido.

El silencio que resonaba en la habitación fue haciéndose cada vez más atronador, hasta que no pudo soportarlo más. Volviéndose hacia él, casi le suplicó:

—Di algo.

—No sé qué decir —se apoyó en el codo y la miró con los remordimientos grabados en cada centímetro de su rostro—. Lo siento.

De pronto se sintió horriblemente desnuda y expuesta.

—No quería decepcionarte —dijo, apartándose. Y deseó fervientemente que su ropa estuviera cerca, en vez de en el suelo, muy lejos de allí.

—Espera, ¿qué?

¿Cómo quería que se lo dijera?

—Sé que, si hubieras sabido que no había... hecho esto antes —cada palabra parecía pesar una tonelada al salir de sus labios—, no te habrías acostado conmigo.

—No, no lo habría hecho —reconoció él—. Al menos, no así.

Ahora fue Erin quien pareció desconcertada.

—¿Así? —repitió. Entonces, ¿habría hecho el amor con ella, solo que en otras circunstancias? ¿Era eso lo que le estaba diciendo? Se sintió aturdida.

Steve buscó un modo mejor de decírselo.

—Se supone que la primera vez tiene que ser memorable —le dijo—, no una cosa improvisada y...

Erin le puso los dedos en los labios para hacerlo callar.

—Se supone que la primera vez tiene que ser con alguien con quien quieras estar —puntualizó.

Él se quedó mirándola un momento, intentando asimilar lo que le estaba diciendo.

—¿Quieres decir que soy el primero... el primero con el que has querido estar?

—Sí, creía que lo habías entendido antes —de pronto creyó entender el motivo de su malestar: temía que intentara atarlo—. Pero no tienes por qué preocuparte —le dijo—. No voy a presentarme en tu casa con una alianza de boda ni con invitaciones ni con...

No pudo acabar porque, por segunda vez esa noche, Steve la interrumpió con un beso en la boca.

Durante un instante embriagador, Erin se permitió zozobrar en aquel beso. Luego, apartando la cabeza, preguntó:

—¿Significa esto que me perdonas?

Steve le sonrió.

—¿Tú qué crees?

Ella sintió que una sonrisa florecía en su interior.

—Creo que tengo mucho que aprender.

—No tanto como piensas. Tienes mucho talento natural —luego se puso serio mientras la miraba—. Pero la verdad es que deberías habérmelo dicho, ¿sabes?

Se encogió de hombros.

—No es precisamente un tema que una mujer que pone voz de dinosaurio de peluche pueda sacar durante la cena.

—Tienes razón —rozó ligeramente su cara con los dedos, apartándole el pelo de los ojos.

Un instante después, impulsado por otra oleada de deseo, la besó de nuevo en los labios.

En cuanto lo hizo regresó el ardor, prendiendo fuego a su pecho, a su entrepierna, y el deseo que sentía por ella volvió a apoderarse de él como si no lo hubiera saciado apenas unos minutos antes.

Ignoraba qué tenía aquella mujer exactamente que hacía arder su sangre de aquella forma, pero en aquel momento comprendió que la búsqueda que había suspendido, la búsqueda no solo de una compañera para él sino también una madre para Jason, había terminado.

Había encontrado a la mujer que estaba buscando. Lo único que había tenido que hacer, pensó con un toque de ironía, había sido dejar de buscar.

Las cosas ahora, sin embargo, se volvían un poco más complicadas. Tenía que encontrar la manera de que Erin quisiera ser suya y seguir a su lado indefinidamente.

«Paso a paso», se dijo mientras seguía haciéndole el amor. «Cada paso a su tiempo, lento y con calma».

Capítulo 15

ES un tipo bastante aburrido —le comentó A.J. a Steve.

Tras dos semanas de vigilancia, el investigador privado conocía ya a la perfección la rutina de Wade Baker. Puso su informe sobre la mesa.

—Todos los días se parecen. Casi siempre parece que su trabajo a tiempo parcial estorba su verdadera vocación en esta vida: beber.

Steve dio la vuelta al informe para examinarlo más atentamente. Había escasas variaciones entre un día y el siguiente, salvo los fines de semana, cuando Baker parecía abrir el bar y cerrarlo.

¿Por qué lo había contratado Erin? Algo debía de haber visto en él, aunque no se explicaba qué.

—Es solo una corazonada, pero como me pediste que me informara sobre la rutina de este tipo, tengo la sensación de que no quieres perder tiempo y recursos enfrentándote a ese tipo en los tribunales. Quieres hacerle entrar en razón de alguna manera.

—Corazonada acertada —respondió Steve.

El detective asintió con un gesto.

—Si quieres, puedo ir a su trabajo o a ese bar, hablar con él, decirle que le conviene retractarse antes de que hagas públicas ciertas cosas.

Steve consideró seriamente su ofrecimiento unos cinco segundos. Normalmente no se lo habría pensado dos veces. Los enfrentamientos fuera de la sala del tribunal eran cosa que solía dejar en manos de A.J.

—Gracias. No te ofendas, pero quiero ocuparme de esto personalmente —dijo.

—No me ofendo —le aseguró el detective— . Pero ¿y si ese tipo te da un puñetazo? La gente se pone nerviosa si su abogado aparece con un ojo morado.

Steve suponía que, de los dos, A.J. era aparentemente quien mejor se desenvolvía en una situación así. Pero él tampoco era un novato en ese terreno, precisamente. Se había metido en más de un altercado, y había ganado, a pesar de los trajes caros que solía vestir.

—No pasé los años de universidad con la cabeza constantemente metida en un libro. Sé cuidarme solo si es necesario —le aseguró—. Pero gracias por tu preocupación.

El detective inclinó la cabeza.

—Bueno, ya sabes dónde encontrarme si necesitas refuerzos o cambias de idea.

Steve palmeó el bolsillo en el que llevaba el teléfono móvil.

—Sí, lo sé.

* * *

En lugar de ir al apartamento de Wade Baker o a su lugar de trabajo, Steve decidió vigilarlo un poco en persona. Así pues, fue al bar que frecuentaba Baker.

Sentado a una mesa, en un rincón a oscuras, estuvo casi dos horas bebiendo una cerveza hasta que el hombre al que estaba vigilando decidió marcharse ruidosamente, por haberse quedado sin dinero y sin amigos en el bar.

Steve lo siguió por las dos manzanas y media que separaban el bar de su apartamento en un tercer piso.

Justo antes de que Baker sacara las llaves para abrir el portal, le dio un toque en el hombro.

Baker se volvió, listo para pelear. Steve, que estaba preparado para su reacción, lo empujó contra la pared.

Atrapado entre la pared y Steve, con la cara apretada contra la pared de ladrillo envejecido del edificio, Baker protestó frenéticamente:

—Eh, amigo, si quieres robarme, hoy no es tu día de suerte. Estoy sin blanca. Se han quedado con todo mi dinero en el bar.

Steve no tenía prisa por soltarlo. Mantenerlo así, apretado contra la pared, era también un modo de refrenar su ira.

—No quiero robarte, pedazo de carne podrida. Quiero hacerte una advertencia. Solo una —le dijo con voz fría y amenazadora—. Apártate de Erin O'Brien. No la llames, no intentes verla. No le envíes mensajes, ni correos electrónicos, ni siquiera pienses en ella. Porque, si lo haces, si intentas tener algún contacto con ella, haré que te metan en la cárcel por chantaje en un abrir y cerrar de ojos.

Furioso, Baker gruñó:

—¡No puedes demostrar nada!

Steve le hizo girarse para mirarlo, agarrándolo con fuerza por el cuello de la camisa.

—Claro que puedo y lo haré. Sobre todo porque no es la primera vez que te acusan de chantaje —entornó los ojos—. No eres ni mucho menos tan listo como te crees.

—¿Quién demonios eres tú? —preguntó Baker.

Steve tardó en responder, sin soltar el cuello de Baker.

—Soy el tipo que tiene la carpeta llena de declaraciones juradas de personas dispuestas a testificar que Erin creó todos esos juguetes mucho antes de conocerte a ti. Así que, si sabes lo que te conviene y valoras tu salud, te olvidarás de que conoces a Erin O'Brien. Inmediatamente —añadió con énfasis.

Había un hilillo de sudor en la frente de Baker, pero no se dio por vencido fácilmente.

—¿O qué? —dijo en tono desafiante.

A Steve siempre se le había dado bien interpretar las reacciones de la gente, detectar las señales que le permitían ver más allá de las poses que intentaban mantener.

No le resultó difícil comprender que Baker era un cobarde, siempre dispuesto a intimidar a los más débiles, a los menos fuertes que él. Cualquier tipo de amenaza proferida por alguien de su tamaño o ligeramente mayor, y él lo era, afortunadamente, le hacía retroceder. Solo era cuestión de tiempo... y de no mucho.

—O haré que lamentes el día que naciste —le dijo tajantemente—. Hablo en serio: te mandaré a la cárcel por chantaje... si es que queda algo de ti después de que tengamos una pequeña charla cara a cara —dejó que sus palabras calaran en Baker antes de añadir—:

Mañana por la mañana a primera hora vas a llamar a tu primo, ese picapleitos de poca monta, y a decirle que has cambiado de idea. Que vas a retirar la demanda contra Erin O'Brien y su empresa. ¿Queda claro? —preguntó. Al ver que Baker no respondía al instante, se acercó a su cara—. ¿Queda claro?

—Sí, sí —logró decir Baker con voz ronca—. Perfectamente claro.

Con una mirada de pura repulsión, Steve lo soltó. Baker se tambaleó de lado, entró atropelladamente en el portal y subió las escaleras a todo correr.

Steve se sonrió mientras recorría las dos manzanas y media, camino del lugar donde había dejado aparcado su coche, frente al bar.

A veces, se dijo, era agradable mancharse un poco las manos. No se había dado cuenta hasta entonces.

Esta vez, al salir del ascensor en la planta donde estaba el bufete de Steve, no se sintió como una impostora. No estaba nerviosa en absoluto.

Se sentía como si flotara en el aire.

No se le había ocurrido que tal vez Steve no estuviera en el despacho. Sabía que podría haberlo llamado para contarle aquel inesperado giro de los acontecimientos, pero quería darle una sorpresa y decírselo en persona.

Aun así, habría sido una desagradable sorpresa no encontrarlo allí, una sorpresa con la que no contaba. Por suerte, Ruby, la recepcionista, le sonrió ampliamente cuando le preguntó si estaba Steve.

—Sí, está.

Ruby se disponía a levantar el teléfono para avisar

a Steve de que había alguien esperándolo en el vestíbulo, pero Erin la detuvo.

—Quiero darle una sorpresa —dijo con tal entusiasmo que Ruby le permitió saltarse las normas y le hizo señas de que entrara.

—No vas a creértelo —declaró Erin al entrar en el despacho y cerrar la puerta, apoyándose contra ella.

El corazón le latía a toda velocidad en el pecho. Había corrido allí nada más enterarse de la noticia.

—¿Creerme qué? —preguntó Steve con aire inocente mientras la contemplaba con delectación.

Tenía las mejillas sonrosadas y el pelo un poco alborotado. Su mente comenzó a entretejer fantasías y de pronto descubrió que tenía que hacer un arduo esfuerzo para dominar sus pensamientos.

—El abogado de Wade acaba de pasarse por la oficina para decirme que Wade ha decidido retirar la demanda —le dijo, asombrada todavía por la noticia.

—¿Ah, sí?

—Sí. Según el abogado, Wade dice que un loco le ha hecho ver su error y quiere que sepa que no va a volver a molestarme. Que cometió un error con lo de Tex y los otros dinosaurios y que no se parecían en nada a los personajes que él tenía proyectados.

Steve vio una mezcla de euforia y confusión en su mirada.

—Bueno, supongo que ya está —dijo—. Ya no vas a necesitar mis servicios.

No era eso lo primero que había pensado Erin. Lo cierto era que ni quisiera había reparado en ello. Ahora que lo decía, sin embargo, tenía que pensarlo.

—Supongo que no —hizo una pausa y se preguntó si Steve le estaba dando a entender que no iban a volver a verse. Pero de momento tenía otra cosa que aclarar—. ¿Has tenido algo que ver en esto?

—¿En qué? —preguntó con toda la inocencia de que fue capaz.

Erin comprendió por su expresión que, en efecto, había tenido algo que ver. Estaba casi segura.

—En eso de que un loco le ha hecho ver que estaba equivocado.

Cada vez le resultaba más difícil no reírse.

—¿Por qué iba a tener que ver algo en eso?

—Bueno, para empezar —contestó ella—, Wade no es de los que de pronto tienen una revelación en medio de la calle.

Steve se encogió de hombros.

—Puede que no fuera en medio de la calle. Quizá fue en el bar. O en el portal de su edificio de apartamentos.

Ella lo miró aún con más sospecha.

—¿Cómo sabes que vive en un edificio de apartamentos?

Esta vez, cuando se encogió de hombros, no le pareció tan inocente.

—Solo era una suposición. ¿He acertado?

Erin ya no se lo tragaba.

—Has sido tú, ¿verdad?

—¿Yo, qué? —Steve refrenó una sonrisa.

—Has hecho que retire la demanda.

Steve se puso serio. Lo que había intentado Baker era un delito.

—No era una demanda, era un chantaje disfrazado de demanda.

Ella le sonrió calurosamente. Steve había cambiado su vida y, pasara lo que pasara después, siempre se lo agradecería.

—¿Te he dicho que voy a sacar ese dinosaurio abogado? Estoy pensando en llamarlo Steve.

—¿Qué ha sido de Clarence Darrow-Dinosaurio?

—Steve me gusta más —contestó ella.

Él asintió con un gesto.

—A mí también —dijo—. Oye, como ya no soy tu abogado, ¿qué te parece si salimos a celebrar tu victoria?

—Me encantaría —contestó con entusiasmo.

Su siguiente pregunta pilló a Steve completamente desprevenido... y le convenció de que no se equivocaba con aquella mujer.

—Vas a traer a Jason, ¿verdad?

—Primero vamos a dejar una cosa clara —dijo Steve—. ¿Voy a tener que competir con mi hijo de siete años?

Steve Kendall era un hombre que no tenía competidor posible.

—En absoluto —Erin se rio.

—Entonces sí, llevaré a Jason conmigo. Con nosotros —se corrigió porque le gustaba decirlo en voz alta—. ¿Dónde quieres ir a celebrarlo? —preguntó, y nombró varios restaurantes de lujo que había en la zona.

—Bueno —dijo ella—, para serte sincera, estaba pensando más bien en ir a la feria del condado.

—¿Te gustan las frituras? —preguntó él, incrédulo. Que él supiera, era prácticamente lo único que se podía comer en la feria.

—No estaba pensando en comer —repuso Erin—. Estaba pensando en las atracciones. Creo que Jason se lo pasaría genial en algunas de ellas.

Steve sonrió.

—Yo creo que Jason se lo pasaría genial en cualquier situación, con tal de que estés tú.

Erin lo miró, enternecida y sorprendida a la vez.

—Es muy bonito eso que has dicho.

—Tengo muchas buenas cualidades que me gustaría enseñarte —repuso él.

No habían llegado al final de su relación, pensó ella aliviada. Pensaba quedarse a su lado indefinidamente, todo el tiempo que fuera posible.

—Me parece bien.

—Y —añadió Steve sin apartar los ojos de ella— me gustaría pasar el resto de mi vida demostrándote cuáles son esas buenas cualidades.

Ella lo miró atónita.

—¿Qué estás diciendo? —preguntó.

Por una vez en su vida temió dejarse llevar por su imaginación. Temió que, por desear tanto una cosa, no conseguirla fuera devastador, de modo que esperó su respuesta.

Steve se quedó callado un momento, levantó el teléfono y llamó a recepción.

—Ruby, no me pases ninguna llamada hasta nuevo aviso —no esperó a que la recepcionista asintiera. Colgó.

Miró a la mujer sentada ante él. A veces todavía le parecía estar soñando. Erin encajaba tan perfectamente en su mundo...

Cuando por fin habló, escogió con cuidado sus palabras.

—Yo era uno de esos tipos convencidos de que el amor se da una sola vez en la vida, si se da. En mi caso se había dado. Pero como tenía un hijo que necesitaba una madre, me obligué a empezar a buscar a alguien capaz de cumplir ese papel.

»Lo que descubrí, en cambio, fue a un montón de mujeres, bellas e inteligentes, que no tenían ningún deseo de compartir su vida a largo plazo con un hombre que tenía un hijo. Les interesaban demasiado sus carreras y sus personas para aventurarse más allá. Después de unos meses de intentarlo, decidí darme por vencido. Había encontrado a mi alma gemela una vez y se me había acabado la suerte.

»Y luego apareciste tú cuando menos me lo esperaba. Tú, con tu imaginación sin límites y tu empatía, y ese corazón tuyo que parece infinito. Me hiciste replantearme mi éxodo hacia la vida de ermitaño.

—¿De ermitaño? —repitió ella, intentando no reírse... sin conseguirlo.

Steve se fingió ofendido por su risa.

—¿De qué te ríes?

Sus ojos brillaron, llenos de humor.

—Eres probablemente la última persona a la que me imagino viviendo como un ermitaño.

Steve no estaba tan seguro. Había veces en que se sentía completamente solo y a la deriva. Sobre todo cuando no era ni siquiera capaz de relacionarse con su hijo.

Pero Erin había cambiado todo eso.

—Bueno, lo cierto es que mi corazón estaba bastante aislado... antes de conocerte.

—Tu corazón —repitió ella.

Steve parecía tan serio que se preguntó si estaba intentando decirle algo que no alcanzaba a entender.

—Sí, mi corazón —exhaló un suspiro, frustrado. Podía presentar alegatos durante horas en la sala de un tribunal, pero al parecer aquello no era su fuerte—. Mujer, estoy intentando decirte que te quiero.

Erin sintió que se quedaba boquiabierta de asombro. Cerró la boca y se quedó mirándolo sin saber si debía reír o llorar.

Por fin dijo:

—Eres abogado, no hay duda. Has usado cien palabras cuando solo necesitabas usar dos.

—Dos —repitió él, mirándola atentamente, desconcertado.

Ella asintió.

—Dos. Las únicas dos palabras que quiere oír una mujer.

Steve se levantó y rodeó la mesa para acercarse a ella.

—«¿Soy rico?» —preguntó en broma, mordiéndose la lengua.

Ella se levantó también y advirtió que había muy poco espacio entre ellos.

—Nada de eso, tonto. Esas dos palabras son: «Yo también te quiero». Bueno, son cuatro, en realidad.

—¿Y me quieres? —preguntó él, y sus palabras acariciaron la piel de Erin mientras aguardaba su respuesta.

Una sonrisa apareció en los ojos de ella y se abrió paso hasta sus labios.

—¿Tú qué crees?

Era maravilloso, se dijo Steve. Maravilloso. Sus dudas murieron antes incluso de florecer.

—Creo que, si conviertes esto en un interrogatorio, voy a estallar.

—Eso no lo podemos permitir —repuso ella, y añadió—: Sí, te quiero. Creo que me enamoré de ti en aquella aula, el primer día que te vi, tan nervioso, hablando delante de los niños. Eso me hizo pensar que para ti era importante hacerlo bien. Y puesto que tu público estaba compuesto por niños de siete y ocho años, me pareció especialmente tierno.

Steve se encogió de hombros, a pesar de que aquel cumplido le hizo sentirse de maravilla.

—Es solo que no quería que Jason se avergonzara de mí.

—A eso en parte me refería cuando he dicho que me pareció muy tierno —repuso ella—. Significaba que veías a tu hijo, y a sus compañeros, como personas. Personas pequeñitas, pero personas al fin y al cabo. Es una cualidad excelente.

—Hablando de Jason, ¿cuál de los dos va a decírselo?

Notó que los ojos de Erin brillaban otra vez. Enseguida descubrió por qué.

—¿A quién te refieres, a Tex o a mí?

Steve tuvo que ser sincero con ella.

—La verdad es que no se me había ocurrido meter al dinosaurio en esto —sonrió y sacudió la cabeza.

Aquella mujer era diferente, no había duda. Estaba deseando pasar toda su vida con ella.

—Supongo que debería empezar yo la conservación, ¿no?

—Por lo menos, decir la primera frase, o la primera y la segunda —contestó Erin—. Pero para responder a tu pregunta, te sugiero que le digamos los dos que va a tener una madrastra. Tex puede quedarse en segundo plano, ya sabes, hablar solo cuando se le hable.

Steve se rio y meneó la cabeza, maravillado por cómo funcionaba su mente.

—No hay duda de que me va a costar un tiempo

acostumbrarme a esto —comentó—. Nunca se me había ocurrido que fuera a dar la bienvenida a un dinosaurio a la familia.

—Por eso siempre conviene estar abierto a cosas nuevas —repuso ella mientras le echaba los brazos al cuello.

Steve le sonrió.

—Bueno, yo estoy dispuesto a hacerlo —dijo con convicción.

—Estupendo —esbozó una sonrisa traviesa—. Porque es muy probable que vaya a haber mucho de esto en nuestra vida juntos.

—Lo estoy deseando —contestó él entre beso y beso.

—Yo también —murmuró Erin antes de extraviarse en el dulce sabor de sus labios.